▲ 绿叶居中的刘心武（1995 年）

▲ 沐浴海风（1996 年）

▲ 刘心武画颐和园罗锅桥（水彩）

名人日记

人生非梦总难醒

刘心武 著

▲ 随笔集《人生非梦总难醒》封面（1995 年）

刘心武文存27

[1958—2010]

散文随笔 第五卷

人生非梦总难醒

刘心武◎著

江苏人民出版社

图书在版编目（CIP）数据

人生非梦总难醒／刘心武著．—南京：江苏人民
出版社，2012.11
　（刘心武文存；27. 散文随笔；5）
　ISBN 978-7-214-08435-4

　Ⅰ．①人…　Ⅱ．①刘…　Ⅲ．①日记－作品集－中国－
当代　Ⅳ．① I267.5

　　中国版本图书馆 CIP 数据核字（2012）第 143520 号

书　　　　名	人生非梦总难醒
著　　　　者	刘心武
责 任 编 辑	刘　焱
统 筹 编 辑	李　丹
特 约 编 辑	朱　鸿
文 字 校 对	陈晓丹　郭慧红
装 帧 设 计	门乃婷工作室
出 版 发 行	凤凰出版传媒股份有限公司
	江苏人民出版社
出版社地址	南京湖南路1号A楼　邮编：210009
出版社网址	http://www.book-wind.com
经　　　　销	凤凰出版传媒股份有限公司
印　　　　刷	三河市金元印装有限公司
开　　　　本	700毫米×1000毫米　1/16
印　　　　张	15.25
字　　　　数	220千字
彩　　　　插	4
版　　　　次	2012年11月第1版　2012年11月第1次印刷
标 准 书 号	ISBN 978-7-214-08435-4
定　　　　价	40.00元

（江苏人民出版社图书凡印装错误可向本社调换）

《刘心武文存》出版说明

　　《刘心武文存》收录刘心武自 1958 年 16 岁至 2010 年 68 岁公开发表的文字约 900 万字。《文存》共 40 卷，按文章门类收录，计有长篇小说 5 卷、中篇小说 4 卷、短篇小说 5 卷、小小说 1 卷、儿童文学 1 卷、建筑评论 2 卷、《红楼梦》研究 4 卷、散文随笔 11 卷、杂文 1 卷、海外游记 1 卷、多品种（图文交融文本、报告文学、诗歌、剧本、足球评论、译述）1 卷、创作谈 1 卷、理论批评 1 卷、早期（1958 年至 1976 年）作品 1 卷、自述 1 卷。因跨越时间达半个世纪以上，收录定有遗漏，但其此期间的主要作品，相信均已收入。

　　《刘心武文存》各卷均附有《刘心武文学活动大事记》及《刘心武著作书目》，可备检索。

　　编辑出版《刘心武文存》的目的，意在供各方面人士阅读欣赏、分析研究、批评批判、收藏保存。

刘心武文存

27

目录

刘心武文存
27

目录

自　序

　　这是切割给读者的一块带血带肉的生活，我的生活。

　　这当然是再平凡不过的生活。稍微与一般人不同的是，我是一个作家，一个主要写小说，也兼写散文、随笔、评论的作家，因此，在我的这些日记里，也许比较多地体现出了一个作家的特殊视角、特殊关怀、特殊的敏感与矜持，并有不少直抒我对文学、艺术、大文化见解的文字；而我在诸多作家中，又属于比较耽于理性的，即使一桩在别人看来很平淡很惯常的事，落入我心窝后，我也很可能把它捂得火烫，生发出许多纷杂沉重的感慨。有人说我这种心态太"古典"。可是偏我又是一个很入世、入时、入俗的人，因此，我的日记又仿佛是这九十年代中期不断摇出新花样的都会世态人心的"万花筒"，而我的抵牾、应变、融通与苦索，又令另一些人视为颇具"后现代"特征。其实，我就是我，重览这些渐渐远去的时日所留下的心迹，聊以自慰是，我没有失去自己。目前我们所共临的社会转型期，正如大瀑壮泄后，那布满旋涡的奔流，随流而进，却不失却自己，特别是自己的心——一颗大体干净通透的心，并不是一件很容易的事！

　　我把这些日记公布出来，正如邀读友们到我家做客，并拿出自己的私人照相簿给大家翻看，也很在客人们面前曝了些私家之光。不过，这印出来的日记，当然不可能是我个人日记的原始面貌。正如家里来客前，我少不得要将家里特意打扫布置一番一样，你所见到的，应当比无客时的我家光鲜一些，有一些以往得到的、自以为是美好的东西，平时早已收起，这时可能又拿来摆出，意在与客分享；而你来到我家，我虽热情相待，有些部分，我却并不向你展示，如卧室、柜橱、抽屉内部，等等。因此，我编这本拿出公开的日记，对原始状态的日记作了一些调整润色，并删去了不愿公之于众的私密部分，你一定能够理解。不过，我要特别向你保证，这本书里所有的篇什，均非虚构，并且确是我的心音；这不是一本日记体的小说，或只是用日记为载体的一本随笔集。我是真心真意地，用这本书，请你到我的精神之家即我的"心窠"中做客！

　　我把这本书定名为《人生非梦总难醒》。我现在正反复咀嚼着这七个字的味道，心弦颤动不已。但愿读友诸君能与我共鸣！

写于北京绿叶居

思念是根针

1月2日　星期日

提起笔，心头有种异样的感觉，仿佛被无形的针，轻轻而又固执地点扎……

思念起各方的亲友来了！

是的，思念是根针。有时候它扎得我们心痛。"每逢佳节倍思亲"，这时对远方的亲友的思念，更是在甜蜜中有丝丝缕缕的痛感旋出。父母的抚育，师长的教诲，昔日同窗的嬉戏，朋友离别后的失落，乃至家乡邻居的言笑，某个往日经常光顾的小商店里那几位熟面孔的店员……在佳节遥思时都可能忽然丛集心头，仿佛有针尖在心上不轻不重地划过，使得魂魄的弦儿，瑟瑟抖动，鸣出浓浓的惆怅……

思念是根针，把这根针拈在手中，用长长短短的信，用精心到礼品店选来的贺卡，或干脆自己制作贺卡，或在最恰当的时候拨响电话，于是仿佛针鼻中就穿上了长长的线，于是随着那信、那卡、那热线，你便缝合着分别后的隔膜与误会，裂隙与失落，于是便会有温暖的回馈，或徐或疾地来撞击你的心窝……

思念是根针，有时候你所思念的人不仅天各一方，而且竟无从联络，更无从得到所渴望的回馈，但你还是要思念，值得思念，因为思念的针，可以绾住一片柔情，一瓣美丽，一颗真心……

能思念别人，说明自己的心灵还没有被世俗的功利壅塞得近乎窒息，在佳节年关尚能思念跟自己具体的功名利禄无涉的人，这是一种人性美善的张扬。因而思念又是一根能灸治见利忘义、六亲不认、自私狭隘、麻木不仁的医针。

　　能思念别人，是一种幸福。

　　能被人思念，也是一种幸福。

拉上窗帘

1月3日 星期一

在自己家里，有时要拉上窗帘。

白天，不一定是为了遮避强光。即使窗外并无刺目的衍射光，也把窗帘拉上。夜里，拉上窗帘并不一定是为了挡住室内的灯光，窗帘拉上了，可能反而要关灯。

拉上窗帘，是为了把自己的私人空间，同他人的私人空间与公众共享空间，更明确地区分开来。

为自己享有一个哪怕是小小的、不够大的，更可能是简陋的、远非华丽的私人独享空间，而感到幸运，满心欢喜。

所谓住房问题，不是一个安放肉体的物质性问题；一个人应有属于自己的空间（可以是租用的），在那里面所安放的首先不是肉体（也许在设备优良的集体宿舍里，肉体反会更安适），而是心灵，再准确一点地表述，是个人心灵中那非社会性的部分，首先是个人的隐私。单身人结婚后，为什么又会闹离婚？当然有许许多多复杂的原因、特殊的情况，但有不少的案例，尽管亮到台面的是这样那样的缘由，究其实，却是因为至少有一方失去了私人空间感，或以前并无私人空间，以为通过结婚可以获得私人空间，结果却大失所望。夫妻、家庭和谐的一个重要因素，一是他们有"小群体共享私人空间"的感觉，一是在那小群体中，他们又有可能划分出一块（哪怕极小）

"纯私人独享空间"。

正常的社会，其功能之一，便是满足社会成员对私人空间的需求。

这社会上，如今有一些人，他们拥有很宽敞很堂皇的属于他个人的住宅，有的还不止一处，甚或还拥有别墅，但是他们并不懂得更无暇享用那私人空间，他们一天到晚周旋于写字楼大饭店歌厅舞榭球场泳池，但那都是为了做生意谋钱财搞公关求发展，虽然嗜金饮玉、耳酣眼热、名车来往、笑颜相随，乃至于珠围翠绕、香气氤氲，却只享受到一份"社会人"（所谓"场面上人"）的"成功之乐"，作为独立的生命个体，他们有很可怜的一面——失却了在私人空间中的一份心灵的自娱。

是的，也许有的人确实毫不在乎，我却万分珍惜私人空间里的心灵散步和心灵憩息。

有时，便不由得拉上窗帘。

或问：为什么要遮遮掩掩？干什么"见不得人的事"？

在私人空间里，当然可以做"见不得人的事"，更当然可以有"难与人言之思"。如果那事于他人于社会有害，那么，"纸里包不住火"，一旦溢出私人空间，毒害了公众空间，自会招致法律的制裁、道德舆论的谴责；那思么，如果属于邪思，只要不化为行动波及门窗之外，也只好由它去吧。

但，为什么有的人凡事总是往坏处去想？

要破掉凡事总以恶意去揣测别人的思维定势。

要养成凡事无妨以善意去揣测别人的思维习惯。

拉上私人空间的窗帘，为的是暂时绝不干预他人和社会。

在属于个人独享的私人空间里，面对属于个人的心灵。沉浸在自己最喜爱的乐音中，画自己想画的画，写自己想写的字，摆弄自己的收藏，翻看私人照相簿，做自己想做的小手工，或什么也不做，与自己所养的花草宠物默然相对。

拉上了屋子的窗帘，却拉开了心灵的窗帘，在不受他人和社会干预的超级宁静中，让良知的阳光，射进心灵的深处，也任潜意识中的浊流，无拘束地奔泻，在自我肯定中得大欢欣，在某种悔恨中不禁颤栗，放肆地惆怅，纵横地狂想，有选择地形而上一番，又无端地出声发笑或黯然饮泣……

享用私人空间，当然不一定要拉上窗帘。但我有时就不由得走过去，握住窗帘绳，很郑重地拉上窗帘，徐徐地，仿佛一个神圣的仪式。

承认：是为了从心理上，排除可能被他人窥视的不快感。这不是先天的。

我绝不侵略他人的私人空间。我也希望他人不要入侵我的私人空间，无意地闯入也不行。除非早有"什么时候来都欢迎"的允诺（那只限于少数至亲好友），我希望每一个来访者都能事先同我取得联系，最好电话商定到我家来的具体时间，我其实是很好客的，凡约定的客人，我总是竭诚地相待，但我不愿接待不速之客，有时不得不接待，我会显得很不耐烦，使来者印象很糟糕，这不是我的错，我也不在乎"架子"之类的抨击、讥讽，毕竟我的私人空间得到法律保护，我有权这样使用它，并且，我希望别人也这样对待他的私人空间。有人说这是受西方影响。也许，但我更多地想到属于全人类的那部分共同的文明。

拉开窗帘，走出私人空间，进入公众空间，我意识到自己作为公民的权利和义务，我有责任感，更有同情心。

拉上窗帘，在私人空间里我彻底放松，面对，甚至咀嚼仅属于自己的隐秘，我更充分地体验到，我生命的多彩、饱满和尊严。

山水尚有相逢日

1 月 23 日 星期日

从台湾、香港回来，趁着记忆犹新，记下种种印象。

1994 年 1 月初，一个别开生面的"从 40 年代到 90 年代——大陆和港台地区华文小说研讨会"在台北召开,这个活动是由《中国时报》人间副刊主办的,得到台湾"行政院文建会"赞助,并由诚品书店通力协办。大陆方面有五位作家到会：柯灵夫妇、汪曾祺、李锐和笔者；莫言提出了书面发言。香港方面刘以鬯、施叔青到会，西西提出了书面发言。台湾到会的小说家有林海音、叶石涛、朱西宁、王文兴、陈映真、黄春明、李昂、朱天心、张大春……还有若干著名的评论家和学者。此次研讨的范围，时间上跨越半个世纪，空间上囊括大陆和港台地区，人选上是老、中、青三辈，流派上是多元多姿，话题却又无拘无束，所以引起了台湾各界特别是文化界的广泛而浓厚的兴趣。

会议的召开场地，是诚品书店的"艺文空间"。目前大陆尚无这样的一家书店，不仅有专卖雅书的充足店面，还有相当宽敞的展览厅，又附设充溢着"雅皮"情调的咖啡座和西餐馆，并有可供小憩的撑有遮阳伞的庭院，而其"艺文空间"更不仅宏阔，设备也是极现代化的。

在"艺文空间"里，研讨会前已开始了一个"作家群像"的摄影展，研讨会后还继续展出一段时间。摄影者是在台湾颇有名气的何经泰。大陆、香港几位作家的肖像，他是专门离岛来拍的。展出的相片都有门板那么大，不仅拍得好，剪裁、洗印、制作上更见功力。汪曾祺的照片，是在北京天坛拍的，以千年古柏上的大树瘤作衬托，展示出作家历经人世的沧桑而承传悠久文明的矍铄精神。为拍李锐和莫言的照片，何经泰不辞辛苦，深入到山西、山东农村，努力捕捉他们内在的气质。在"艺文空间"挂出的李锐照片，前景是一匹摇头晃脑的驴子，给人视觉一种突兀的刺激，显然寄托着拍摄者许多的喻意；李锐在照片上严肃地站立着，背后是古朴的窑洞。原来有些人以为来参加这个研讨会的是当过毛泽东秘书的那个老李锐，一看这幅照片便了然无误地知道，来的是曾作为"知青"到山西插队，并在那里吮吸了大山和地母的乳汁，后来又以《厚土》等小说反哺那块瘠地，并感染大陆和港台地区许多读者的那位小说家。何经泰来北京时没找到我，我的照片，是到台湾时补拍的，开会那天才挂到墙上。他把我拍成从帷幕中露出头来，不动声色地旁观着人世；这张相也成了会议休息时人们的话题之一：小说家究竟应该充当人世间的弄潮儿，还是更适宜于对波诡云谲的世事和人性作壁上观？

这个研讨会有两个特色值得我们在大陆开会时借鉴。一是限定每人的发言时间，在事前公诸周知，开会时严执不贷；每位与会作家谈自己创作历程和小说观，限一刻钟，对他们创作进行评论的专家，发言限十分钟，展开讨论时，自由发言者，每人限时五分钟；会场上设专人到时撇铃，不因远客、老者或名流而通融。这样的"游戏规则"，使会议开得生气勃勃，又言精质高，每人都认真准备自己的发言，客套话、敷衍话、废话、车轱辘话全免，在有限的时间里，达到了相当充分的交流。另一特色是直言无忌，讨论中时有正面碰撞，虽不可能非常充分地展开争鸣，但"唇枪舌剑"的效应，是展拓了争论各方和在场旁听者的思路。如李昂、陈映真发言后，都爆发了极热烈的争论。笔者也同台湾一位评论家有令会场空气一紧的争辩，当时双方都有点"沉不住气"，不免语带双敲、竞相诙谐。后来在晚宴时那位评论家风度翩翩地来同我碰杯，我拉住他笑谈不已，成为会议期间一个引人忆念的花絮。是呀，"论文似山不喜平"，我们都感觉到，唯有真情切磋，才能深入交流，这样的研讨会今后一定要多开！

研讨会不打算也不可能在与会的大陆和港台地区作家之间形成美学共识。但是大家都用华文写作，虽由于地域或别的方面的人文环境的差异，在语汇上容易有一些地方或社群的独异之处，不过所写出的小说，应是所有华人都能读懂的，这是大家之所以能共聚一堂的缘由。据说现在台湾有极少数人提倡用"台语"（其实是闽南话）写诗和小说，里面有若干他们"发明"的怪字，读者寥寥。各人愿写什么、愿怎么写固然是他或她个人的事，但我们与会者，相信还有更多的，以至绝大多数华人，都对使用大家都看得懂的文字写作，怀着不可动摇的信念。《中国时报》举办这个研讨会，用华文把大陆和港台地区的作家聚到一起，其意义实在已超出了扶植优秀的小说。

从会前到会后，《中国时报》不仅连续发出相关报道，人间副刊更不吝篇幅，介绍与会的每一位作家，包括受到邀请因故未能到会的；1 月 10 日用了一整版介绍我，刊出大幅照片、书影、著作要目，还有我谈自己创作的文章《跨越八十年代》和新小说《贼》，以及台湾著名评论家陈信元关于我创作的论文。尽管此前我也在《中国时报》、《中时晚报》和《中时周刊》上发过文章，但估计台湾文学读者对我未必有什么印象，通过今年 1 月 10 日人间副刊的这一整版介绍，相信台湾凡关心文学的人士对我就都比较关注了——因为《中国时报》的发行量超过100 万，是《中央日报》的十多倍，据说每天阅读这份报纸的人超过 300 万，中产阶级几乎人手一份，每日必读，其人间副刊是捧出了不少红作家的园地。当然台湾还有另一家堪与《中国时报》共同称雄的民营大报《联合报》，《联合报》的副刊也是台湾许多著名作家的发祥地，这两家大报在台湾是公开的竞争对手，就在我们这个华文小说研讨会之前，《联合报》已经在 1993 年 12 月召开了"中国文学四十年"的讨论会，请到了大陆王蒙夫妇、李子云等作家与会；我在台北时，

《联合报》副刊也发表了我的小说《自助餐》，当天就有台湾朋友给我打电话，说："哎呀，你怎么这么厉害！'中时'、'联合'两家副刊连着登你东西……"我笑了，当然不是因为我"厉害"，而是因为两报对我们大陆作家的善意，这善意的大背景，是台湾同胞对大陆这边的所有事物包括文学越来越浓烈的兴趣。离台前，台湾幼狮文艺出版事业有限公司告诉我，将在1994年在台出版我的长篇小说《四牌楼》和一部散文集。

　　研讨会之余，主人安排了丰富多彩的活动，以使我们多领略些祖国宝岛的风姿。我把了解台北当做了重点，因为从某种角度来说，我算是一个城市小说家，我特别愿将我所熟悉的北京，同台北作一社会学的比较。坦率地说，逛了台北以后，我有点吃惊，吃惊在台北的市容怎么让我乏善可陈？我原来所想象的台北，是富裕外溢的一个壮观的都会。可是真的来到台北以后，我却到处目睹了小汽车和摩托车的淤塞，闻见了机动车浊气的恶味，新的大型建筑虽不算少，在我看来，有建筑美学创意的作品却实在不多；台北没有地铁，近年在搞"捷运"，可是因为负责的官员受贿丑闻满天飞，两次试车均发生火灾，此工程至今仍不能竣工投用，据说由于贪污和浪费，现在"捷运"线上的一个垃圾桶的成本竟高达一万美元！从我们下榻的五星级福华大饭店，隔窗便可看见"捷运"的高架线路，我觉得其外观也引不出诸如现代或后现代的感觉，显得很平庸。当然台北市民的生活是丰富多彩的，到处都是商店，特别是饮食店，几乎全世界各种风味的食品都可以不费工夫地尝到。我记得看到一家的招牌是"潜意识咖啡厅"，还有一家巨大的霓虹灯勾勒出的是"老爸的情人西餐厅"，使我意识到台湾消费生活中有令我生疏和宁愿远之的一面。台北近些年流行"茶寮文化"，这些茶寮大都以大学生、工薪族、雅皮士为服务对象，用雅致的厅堂、精美的茶具、自烹自斟的方式，构成特色，虽也有一些难免藏污纳垢的茶寮，可是大多数这类的场所，还是慰藉都市人心灵，缓解焦虑感的临时福地。台北的物价之高，久已闻名，但在街上一逛，见到标价签时，仍不免瞠目结舌。台湾人平均年收入高逾一万美元，他们虽也喊贵，毕竟还能接受，在我，是看来看去，总无值得"破费"之物。

正是：山水尚有相逢日，书生岂无切磋时?

"大陆和港台地区华文小说研讨会"渐成回忆,而两岸的文化交往,必由涓涓细流,汇为一江春水!

稻香阵阵

1月24日 星期一

在台北的一个酒会上，林怀民对我说："感谢你的文章……"我意识到他说的是我发表在《中国时报》人间副刊上的《在北京看〈薪传〉》——那是他们去年10月来京演出，我观后急就的——我问："你不介意吗？"他意识到我指的是文章后面对《薪传》舞蹈语汇失之平庸的批评，他笑了："这种批评不稀奇，在台湾多得很……"他不介意，但他也不接受，同许多个性强烈的艺术家一样。

但林怀民把我们当做知音，请我们五位赴台参加"两岸三边华文小说研讨会"的大陆作家去"云门舞集"的乡间排练场，看他们1994年春季演出的彩排。

越野汽车把我们载出了台北市，越过淡水河，经过若干小镇，有时路很窄，卖槟榔的摊子仿佛已与车身相擦，后来上了山路，路旁的绿树上开着艳红的尖瓣花，转了几圈，终于抵达林怀民他们的"世外桃源"，那大概是由一个大仓库改造而成的，主体部分是宽阔高敞的排练厅，一面墙全镶着镜子，面对排练场地是一个敞楼，在楼上倚栏可以俯读整个舞蹈篇章，楼上的空间也很宏大，有一个简易的茶寮，或者可以叫咖啡座，一隅是开架的图书馆，我浏览了一下，主要是艺术类书籍，文学书并不太多，也有不少社会科学方面特别是西方种种新理论的译著，楼下则有以电脑武装的办公室和演员的化装室，给人印象更深刻的是堆放着许多完成或未完成的道具。我的感觉,这是林怀民和他的同仁在人间所坐实的一个梦境。

是的,无数的文学艺术家有过这样的梦,不求富贵奢华,只愿能挣出一个能充分释放自己艺术追求的基地,在这个基地里孵卵,破卵而出的雏儿在这里面丰满羽翼,然后,到社会上放飞新鲜活泼的鸟儿……即使从此再不能扩大延伸,只要能保持良性循环就快乐无涯。

历尽艰辛的"云门舞集",终于圆了他们的梦。在他们的"桃源"中,我心里充溢着艳羡之情。

林怀民他们不是不擅而是不屑用嗓音与我们交流,我们甫在楼上坐定,他们立即开始彩排,以使我们目不暇接的肢体语言,倾诉他们的心曲。这回他们拟在基隆、花莲、嘉义、台中和台北巡回演出的节目,高潮是《春之祭》。《春之祭》是斯特拉文斯基的舞剧名作,我家有全套的唱片,我很喜欢它那突兀奇诡的"语法",可是我原来并不知道 1913 年它在巴黎香榭丽舍剧院首演时,由于其音乐和舞蹈的过分前卫,先是引发出一些观众的嘘责喧嚷,后又引出一批捍卫者对前者的责骂指斥,台上是一派异样的轰响乱舞,台下演变出全武行的斗殴,据说斯氏不得不抱头逃离现场。而并未表示态度的作曲家拉威尔也被两派的观众各飨了几拳……"云门"这次所排出的,用的是双钢琴的伴奏,香港编舞家黎海宁的创作。黎女士当天从香港赶到,检验"云门"的"合成",舞毕我问她有否"走样",她说一招一式悉数照舞,不仅体现了她的诠释,也注进了"云门"的力度。她的编舞,是把 81 年前巴黎首演的台上台下乃至后台的种种激荡冲突,以戏中戏、戏外戏的交迭旋变展现得淋漓尽致。"云门"原来很少移植更极少"拷贝"别人的现成作品,现在这样排演《春之祭》,说明"云门"不仅已成熟了自己的风格,也有了消化"高精蛋白"的胃口。后来林怀民在淡水河边的海鲜酒楼里请我们吃饭时,他对我说:"《春之祭》是世纪初的一个征兆,预示了后来好多的世态人心……"我默然,却憬悟:林怀民在梦中,究竟还保持着对梦外时空的清醒;这也是两岸三边许多文学艺术家的共同心灵处境。

在彩排中,林怀民自己的新作只有一个,就是《稻香》。这个舞蹈比《春之祭》

更令我吃惊。我原以为林氏的作品总以一种内在的焦虑灼热乃至点燃观众的心火，这是他的风格，也是他的奥秘，比如《薪传》的渡海场面，那舞者不仅以四肢力图突破时空的束缚去张扬生命的狂傲，也以身躯部分的舞语体现出生命与命运的抗争，难怪他们在台湾作广场演出时，常煽起观众凝重的历史感与深邃的现实忧患感，以至不自觉地随着舞台场面的变化而发出唏嘘之声。但这个新作《稻香》却刻意汰尽焦虑和忧患，用了好几袋未去壳的稻粒做道具，由舞者随意铺放地上，用木锨自在撮扬，然后不是用《薪传》式的肢体无限伸张的语汇，而是用一派童真的嬉戏，营造出一种无忧无虑的通体透明感。这个散发出阵阵稻香的新舞展现出了林怀民艺术个性的另一面，由于穿越了焦虑与忧患，这种澄明的欢乐特别醉人。《薪传》最后一幕虽然也力图用华彩的舞句超越，却不成功，《稻香》却质朴得令我生妒。

"云门舞集"创办于 1973 年，受《吕氏春秋》中"黄帝时，大容作云门，大卷……"的启发，故以"云门"命名，虽不断推出力作，海内外好评如潮，却因财政困难不得不在 1988 年夏解散，到 1991 年春，才又在有文化识见力的财团支持下复出，因为现在成立了基金会，即使不能盈利，也可保证从容起舞。

"云门"是台湾严肃艺术近 30 年发展中的一个幸运儿，《稻香》正体现着历经垦殖终获丰收的幸运儿情怀。

现在那阵阵稻香仿佛还氤氲于我的鼻息，我为"云门"默默地祝福。

链中一环

1月25日 星期二

前些时忽然在四川成都出版的《晚霞》杂志（省委老干部局主办）上看到萧英老人写的《难忘的记忆》一文。此文回忆到1927年大革命失败后，一些共产党人和国民党里的反蒋反汪人士，以及一些观点与他们相合的其他政治团体的人士，还有无党派人士，从武汉、四川流亡到上海，寻求一个落脚点。他们在上海遇到了辛亥革命的老前辈刘云门先生。刘先生是四川安岳人（杂志上误为广安），清末最后一科举人，留学日本时进过两所军医大学，在东京参加孙中山的同盟会，大革命时期到广州，在中山大学任教授，与共产党人毕磊等组织"社会科学研究会"任干事，北伐时以军医身份随军突进至武汉。在汪精卫宣布"分共"后逃至上海，著114句36韵长诗《哀江南》，痛诉"四一二"后的愤懑与悲怀，不仅抨击了蒋、汪，也对政治诡变中的各种屠夫、屠头、宵小，以及"卖人肉包子"的告密叛徒等鬼蜮进行了淋漓尽致的讥讽批判，气势磅礴，正义凛然，艺术上也相当成功，曾用"唯物社"名义自印散发，后又有"神州国光社"的印本面世。他在上海利用自己在国民革命中的威望，找到招商局督办赵铁桥（亦是老同盟会成员），于是赵把招商公学交给他，由他出任校长，以专门收容各路因不与蒋、汪合流而衣食无着的知识界人士。萧英老当时二十来岁，也被庇护于此，1929年萧英等自发组织了一个共产党的招商公学支部，刘云门以党外人士身份参加支部活动。1930年赵铁桥被刺身亡，南京派来的新督办下令关闭招商公学。1932年，上海"一·二八"事变，日寇轰炸上海，刘云门牺牲于日寇炮火中，他的书稿《人类命运论》，同日亦与被炸的商务印书馆一起焚于敌焰。

萧萸老文章中写到的刘云门，便是我的祖父。

我在祖父罹难10年后方出生。虽然我父亲经常给我们子女讲述祖父的事迹，例如20年代祖父在北京时就专门收留四川来的各路暂时落魄或需隐蔽一时的豪杰，朱德在离国赴德前就住在我祖父家中，并且为了避人耳目，还干脆让朱德住进我父亲的卧室，等等，但我们都不大在意，尤其是我，祖父我见都没见过，他的荣辱功过，跟我有多大的关系呢？

后来我们子女更得知，祖父在世时，对父亲并不怎么满意，他们父子之间，有着许多心灵上的隔阂与感情上的冲突，父亲对祖父，是又爱又怨，又尊又怪的。

回想我的少年时代，和父亲很有几次非常严重的冲突，我毫不留情地说了毫无根据的故意惹他伤心败他声誉的话，气得他浑身发抖，竟一反常态地挥手打起我来，结果我拼力反抗，他的手竟被震麻弄痛，这几次冲突都被母亲细致地记入她的日记，和那些年月她的家庭油盐柴米账记在一起。

如今我的父母也都故去了。我只是在年过半百之后，才在比如说一个阴雨绵绵的傍晚，一个万籁俱静的清夜，忽然痛心疾首，忆及我竟那样毫无妥协余地地伤害过父亲，并把伤痕一直延伸到母亲的心上。

我不知道父亲对我发怒时究竟是怎么想的。他在暴怒时一定视我为"弑父弑君"的大逆不道之徒。其实，仔细想来，我并不是真要妨碍他的继续存在，我只不过是想换一种跟他有区别的活法罢了。

当我翻看着母亲那已成为遗物的日记时，我才发现，其实这世上为我付出感情最多而且最浓又最持久以致能坚持到生命最后一刻的，是我的父亲和母亲，那不只是亲子之爱，也不仅有"不成钢"之恨，还有许许多多超过语言文字表达限度的复杂因素。那真是说不清道不明的。

如今我憬悟，这是没有办法，而且用不着想办法，不该去想办法的事——我的身上，流着父亲传给我的血，当然，那也是我祖父通过他再传给我的。

我是祖父刘云门、父亲刘天演的一个天然遗传物。

和许多中国人一样，我经历了许多次有时是很激烈的代间冲突，因为政治，因为经济，因为道德观，因为兴趣爱好分流，因为认知分歧，因为感情波动，因为性格的变异，因为无端的烦躁，因为单向或双向的误解，以及什么也不因为……有时是被时代、社会的大潮流所推动，有时迫于具体处境，有时完全是主动出击，有时似乎非常清醒，有时实在是浑浑噩噩，有时始于理性而终于非理性……代间的冲突酿成了一出出悲喜正闹的活剧。

我不是宗教徒。绝大多数中国人都和我一样，没有宗教信仰。我们不觉得有一个至高无上的上帝在我们的肉体和灵魂之上，而我们都面对着他，因此要对他负责。西方基督教文化的浸润，使大多数西方人觉得在人与人之上有一个上帝，因此在上帝面前人人平等，代间的差异冲突和个体生命与上帝的差异和冲突相比，因有质的不同，所以简直微不足道。人与人的关系是面对上帝的平行线。我们中国人，尤其汉族人，其绝大多数人，人与人之间是亲族的链环关系，一个人，只是这链中的一环。比如我，我没有上帝，我只能这样来确定我的位置：我是我祖父祖母的孙子，父母的儿子，妻子的丈夫，儿子的父亲，以及谁谁谁的朋友，谁谁谁的对头，谁谁谁的邻居，等等。我需对以上种种人际关系负责。现在我非常理解孔夫子提出的"仁"，这个字拆开了就是"二人"，是的，儒家学说的精髓就是让我们时刻意识到，我们没有单独的个人价值，我们个人的价值是建筑在起码两个人以上的关系上的。而在我们所置身的人际链环中，最重要的是：我们是谁的后代？我们是否令他们满意？

我不知道祖父如果看得到今日的我，他会有何观感；父亲没有等到我大踏步走入文坛，就过世了，他其实并不一定希望我成为一个作家；想起来常常发愣，为什么父子间的冲突，即使在最亲和的家庭中，也往往不能避免？

《红楼梦》里写到的贾政和贾宝玉的冲突，常被论家定性为封建与反封建的冲突，这诚然是一种很有道理的辨析，但其实贾宝玉何尝有"弑父弑君"之想？他自己又何尝有明确的"反封建"理性？近年已有论家著文，说贾宝玉是个浪漫诗人，他要生活在诗境里，所以不断和现实发生矛盾，他的与蒋玉菡交厚，与金钏儿调情，都并非是针对君、父的，他那"下流痴病"纵使发展到极端，也不至于去参加农民起义军，掀翻王朝和贵族府第，他的"不肖"，在偶然事态的引发下，使得贾政恨不能把他"一发勒死了，以绝将来之患"，但事过境迁，虽然父子间的心灵取向仍然不同乃至愈加分歧，贾政也并不坚持"必欲除之而后快"，第三十三回写了"不肖种种大承笞挞"，到第七十八回，却又有"老学士闲征姽婳词"，贾政要宝玉写一首诗歌颂抵御"流寇"的林四娘，宝玉不但遵从，还积极到主动写出"长篇一首"的地步，而贾政此时对宝玉的看法，已修正为："虽不读书，竟颇能解此，细评起来，也还不算十分玷污了祖宗。"作为人际链环中直接相衔的两环，他们不管如何冲突，到头来，也还是"一荣俱荣，一损俱损"，按曹雪芹原来的构思，贾家遭劫，那贾政和贾宝玉是一起被"链拿"的，在那时，他们父子难道会互相"幸灾乐祸"吗？

没有宗教，我们只能格外重视亲情。儒家学说有时被尊为"儒教"，但那其实不是宗教，因为那教义里没有上帝。孔夫子是"圣人"，不是神。"打倒孔老二"曾给予"五四"时的新青年们以革新乃至革命的激情，但中华古老的"族链"还是把中国人组织在了人际链环中，"单个的人"，还是难以存在，无论在哪样的阵营中。70年代的"批孔"是为了"批林"，都说"文革"是造神，其实它的效应仍是圣人崇拜。80年代就有"单个的人"在中国出现吗？我们看不清楚，90年代呢？我们看到了许多脱离链环的无序现象，同时感受到一种普遍存在的"清理修复链条"的社会性呼吁。其实西方的基督教文化也是排斥混乱无序的，任何一种社会都不允许一盘散沙的状况长期存在，乃至短期的存在也不允许。无论哪儿的人类都需要良性共处的"游戏规则",我不是根据理性而是凭着直觉,宣布中国人社会到头来还是要用"理顺链环"来达到民族亲和,而第一步,可能就祖、父、子三代间的冲突后和解与妥协。

忽然想到王朔,不少人说他是"痞子作家",没正形儿,把一切化为笑谈,可是他也写了《我是你爸爸》,这篇小说里有一种宿命的忧伤,我读的时候常常想到他作品以外。对于我们中国人来说,谁是我爸爸,谁是我儿子孙子,或反过来,我是谁爸爸,我是谁的儿孙,实在太重要了!以王朔为主策划出的电视连续剧,里面充满对上一代、老规矩的揶揄,有时甚至达到刻薄的程度,可它那主题歌,却又高唱"人字的结构,就是相互支撑",这是典型的中国传统意识,只有汉字里的"人"才能引发这样的联想,我想这也未必是电视剧创作者们的"狡猾策略",很可能恰是他们心灵深处无可逃逸的文化基因使然。又忽然想到电视剧《北京人在纽约》,这是一部让许多中国人败兴的戏,有人就问:纽约既然是那么可怕的一个"战场",那为什么还有那么多去了那儿的人在"坚持战斗"?可见他们到头来还是舍不得什么,那究竟是什么?他们坚持战斗就都能如数得到么?那些企图挣脱中国链环的中国人,他们到头来还是脱不掉,或他们自以为脱掉了,却并不能成为西式"平行线",或终于成为"平行线"了,却又并不那么舒服。这种中西文化冲突往往构成个别人乃至一定群体的大悲剧。这类悲剧的底蕴恐怕是一个永远的谜。我没有猜谜的能力,但我却无端地由此想到那牵着我们中国一代代祖、父、孙的神秘之链。这不是一个什么爱国不爱国的问题,这里面有一种超出政治、经济和一般意义上的道德、伦理范畴的无形力量。

我读了萧荑老人(他已94岁)忆念我祖父的文章,竟浮想联翩,以致牵三挂四,由己及人地写出了这么多与那文章无关的话来。我心中充满一种莫可名状的大悲悯,为祖父,为父亲,并且为我自己。50岁前,我也曾充满"审父"的激情。我珍惜那份情怀。我并不是要为此忏悔。我现在面对着我的儿子,我努力去做他的朋友,但我经常不能容忍他的忤逆,我和他有过多次相当惊心动魄的冲突。我认为我对他的训斥乃至于暴怒大体上都是对的，并且对他有益。我并不期待他年过半百时对我的悲悯。但我铭心刻骨地意识到，正如我与祖父、父亲是紧紧相衔的链环一样，儿子也是和我紧紧相衔的一个链环。这链环应当延续下去。链中一环——这是我们中国人无可回避也毋庸逃遁的命运。

吞瓜子

2月8日 星期二

如今四季有西瓜吃。夏天，当然有本地西瓜堆积如小山，瓜摊 24 小时敞开供应。其余三季则有甘肃瓜、新疆瓜、海南瓜，贵是贵一点，但想吃时买一个也很方便。

我吃瓜时，总是很急，所以常常吞进瓜子。现在年纪大了，懂得品，吃得慢了，却也还是难免吞进几粒瓜子。

我想，凡吃过生瓜的人，几乎都不可避免地在吃瓜肉时，误吞过至少一粒瓜子。

记得小时候，我吃瓜总是猴急，吞进的瓜子，常常颇多，大人于是吓唬我说："小心肚子里长出瓜秧啊！"偏那时候，我已模模糊糊地懂得，瓜秧是从瓜子里长出来的，听了大人的警告，便很惶恐，夜里常常捧着肚皮，做噩梦，那梦境倒并不一定是从自己肚皮里蹿出瓜秧来。

后来吞了瓜子，不那么紧张了，但也纳过闷，瓜子不生瓜秧，它是在我肚子里同瓜肉一样，化掉了吗？再后来在自己的排泄物里发现了几乎是原模原样的瓜子，才惺悟：原来，自己那叫做胃的器官，真了不起——它不仅可以消化掉愿意消化的东西，还更可以拒绝消化它不愿意消化的东西，并且，那"不消化"，并不给它，当然也并不给人，带来什么危害，起码它不消化吞进的瓜子，是这样的一出"喜剧"。

在人生的道路上，我们要吃许多的瓜，从有形的瓜到无形的"瓜"，当然我们不能不吐"瓜子"，但完全没必要追求"一粒瓜子也不误吞"的"绝对正确与绝对纯洁"

的境界,如果那样"吃瓜",很可能会弄得意趣全无,而且也未必就能获得更多的滋养。

据说有一个人他吃瓜只吃无子瓜,实在要吃有子瓜,他也总是先细心地把所有的瓜子一粒粒剔出,然后才下嘴。但有一回他却在瓜肉进口后,惊悚地感到嘴里进入了一粒潜藏的瓜子,并正滑入他的咽喉,他赶紧想法将那粒瓜子吐出,可是在慌忙中,他竟将那粒瓜子呛进气管里去了……结果是一出惊天地泣鬼神的大悲剧——但愿这是一个谣言!哈哈!

西天东地？

2月25日 星期五

　　每次到香港，我总要到维多利亚公园附近的碧丽宫看电影，这家影院以上映西方最新文艺片著称，回想起来，像《走出非洲》（梅丽尔·斯特里普主演）、《光荣与希望》（英国名片）、《巴黎浪族》（尊龙主演）等，都是在那里"捷眼先观"的，今年年初访问台湾路过香港，自然也要去碧丽宫，这回看的是美国名导演斯通的新作《天与地》。

　　《天与地》是据一位由越南移民美国的女士所写的自传体作品改编的。此女出生于越南南方。影片的女主角，亦由一移民美国的越南女子扮演，是第一次上银幕，而出演不俗。影片先把世纪初的越南农村表现得世外桃源般幽谧恬静，给我印象最深的两个空镜头，一个是满银幕半长的青绿稻苗在风中荡出有韵律的波纹，而一只农民的斗笠被风吹送到这绿波之上，并不马上下落，而是水漂般呈弧形飘飞；另一个是在葱绿的秧苗后部，一所小小的佛寺，翘檐红墙，默默地宣示着东方世界的神秘与瑰丽。但这序幕很快被越来越凶恶丑陋残暴凄惨的情节发展撕得粉碎。先是法国殖民者侵略了这个地方，后来，越南南北方展开了酷烈的斗争，女主角先是被南方政权指认为"通匪"，同村里若干女子入狱，她们被捆绑在柱子上，不仅饱受拷打，审问她们的人还往她们的衣怀里放了许多小蛇……好不容易用钱赎出了她们，不久该村由与北方结盟的红色军队占领，她却又被红色政权指认为"叛徒"，其逻辑是：白色政权为何将你放出？你为何当时还要求生，不当烈士？结果，一个红色干部借单独押送她的机会，竟在坟地里强暴了她！……后来美军进入越南南方，搞"特种战争"，支持南方白色政权，她和她一家乃至所有农村的居民，那种原有的生活，被这世道破坏殆尽，她流落到城市，开头在一个有钱人家里当女佣，被男主人诱作情妇，怀下孽种，又被女主人发觉驱逐，这以后她为生活所迫，不得不走向了出卖肉体的沦丧之路。而在一个偶然的机缘中，她结识了一位美国军官，这位军官居然不是要用她泄欲，而是真的爱上了她，乃至爱她的私生子。后来南方政权崩溃，北军开进西贡，她在最紧急的关头，得以挤过万头攒动的人海，逼近到美国大使馆的门前……最后，她极惊险地被其爱人拉拽到了已启动的直升机上，这样，她终于得以"脱离苦海"，来到美国。

影片的前半部，充满了血泪控诉，当然不再是以往那种肤浅的"反共"表现，而是既谴责了越共也否定了南越白色政权，既否定了法国人也谴责了美国人对东方世界的军事政治介入，以一种悲天悯人的情怀，诉说着桃花源的劫难，对女主角一家在几种政治势力的争斗中辗转求生的表现，大有"天地不仁，以万物为刍狗"的浩叹，接连出现了许多煽情的场景，我邻座的香港小姐，便不由得频频用手帕拭泪。

影片后半部，先是用夸张与讥讽的手法，展示了美国社会物质生活之富裕与获取之容易，与前面越南战乱中的饥馑与贫困形成强烈对比。然后就表现东西方文明不同所造成的心理冲突，女主角无法忍受丈夫一家在"并无恶意"的情况下，所表现出的对她这来自东方穷国"难民"的深层心理歧视，后来亦越来越不能承受在"特种战争"中精神变态的丈夫的怪异脾气，于是，她决心与丈夫离婚，开创一个新的生活，而她的丈夫却在变态的错乱中，赤身裸体自杀于汽车里……

与斯通其他影片一样，这部《天与地》也是走的既要"文艺性"，也要票房的路子，拍得非常讲究，也很"好看"。依我看来，这是一部典型的西方电影，体现出西方人对我们东方的"非恶意误解"，也就是说，他们确实同情我们东方人在本世纪里所经受的种种劫难，并对西方政治家的侵略性决策给东方民众与西方士兵所带来的痛苦，充满了谴责与反思，可是，他们所肯定所讴歌所向往所定位的东方，却是如同我在前面所介绍的那两个空镜头里的东方，其特点是古朴、原始、神秘、恬静，乃至于蛮荒、离奇、怪诞、畸异，他们希望我们永如一幅古画，烟雨襄笠，牧童短笛，塔寺茅舍，村姑浣纱……

我想斯通这《天与地》的片名，大概是"在天地之间"的意思，也就是用女主人公悲惨而离奇的遭际，来喻示人生之艰辛、世道之诡谲：但我这个东方知识分子看了，却总觉得这部影片不管怎么说，实在还是在引发出一种"东方是地，西方是天"的感觉。

这部影片据以取材的那本书，是那位从越南归化美国的女士用英语写出，并在美国出版的。这样的"东方人用西方语言直接把东方苦难写给西方人看"的书，这几年颇行时于西方，也很被好莱坞看中，拍成了好几部票房收入高的电影，而且，这样的书，这样的电影，多半是东方本国人并无缘观看，像我，如果不是有机会路过香港，总待在北京，又哪有机会看到这《天与地》，以及《喜福会》、《蝴蝶君》呢？

东方作家的作品，倘能被西方人翻译介绍，多半会被视为一种荣耀，不仅是他个人的，还很有点为国争光的味道；但这翻译是个很难讨好的坎儿，于是有的东方人就干脆到西方去，先摸透西方人的心理和眼光，然后直接用西方文字写书，并在西方出书，让西方人喜欢，他们的书，因而也就在东方，自己的国家中，先以消息取得殊荣，下一步，便是再由别人翻译成自己民族的文字，让国人"后睹为快"。东方艺术家如能在西方争得一席地位，当然更属不易。比如所谓打入好莱坞，华裔演员在那边演了几个角色，获得好评，不仅他们自己有高昂的成就感，国人也大受鼓舞，有的报刊的报道，大有激动不已的劲头。《天与地》中有华裔男演员吴汉的出演，他原是"越南华人"，后到美国，曾在《战火屠城》一片中扮演一位柬埔寨记者，并因此获得过奥斯卡最佳男配角奖，大约是因为该片内容有问题，所以我们当时没有怎么宣传他这个华裔的获奖；吴汉在《天与地》中扮演女主角的父亲，扮演其母亲

的则是我们都很熟悉的陈冲。陈冲在该片中一出场已是一中年妇女，越演自然越老，
最后的造型是一鸡皮鹤发的老妇。为了反映真实生活，她一出场牙齿便涂成黑色，
因为越南妇女都爱嚼槟榔，以往并以嚼槟榔至黑的牙齿为美。最近在一份报纸上看
到一则小消息，说是斯通埋怨陈冲，说她在东南亚准备拍摄此片时，不能到稻田里
去尽心尽力地练习插秧，怕苦，所以她扮演的母亲未能达到水平云云。我读了此则
消息，心里很不是滋味，因为就我观看影片的感受而言，母亲这一角实在并没多少戏，
而陈冲的表演，是称职的，我特别佩服她为了艺术，把自己那样地"老化"乃至"丑化"，
没想到导演还要责怪她"不到位"。替陈冲想想，也真是不容易，一个东方女性打入
好莱坞，你水平再高，也只能演"东方戏"，人家西方人拍比如说《飘》的续集，无
论如何是轮不到东方血统的演员来竞争那郝思嘉一角的，而好莱坞一年又能拍几部
"东方戏"呢？岁月匆匆，青春几何？等到终于又有《天与地》这样的"东方好戏"，
而陈冲已不能出演"清纯玉女"，只能屈饰一黑齿妇人，其中酸辛，当可体味，而导
演还要挑剔，宁不痛乎！

　　西方是覆盖在东方大地上的"天"吗？当然不是。许多西方人也会说"不是"，
可是在我们不少东方人心目中，评判许多事物的优劣，尤其是文化优劣的圭臬，却
似乎只在西方，尤其在西方的种种时髦理论，这本来也不是多么值得惊讶的事，而
悲剧性在于，当许多的东方青年知识分子努力地使自己西方化时，一些西方人却发
出了不以为然的讪笑，他们在有限度地表示了对这种拥抱他们的喜悦后，很快就正
言悦色地宣布，他们所喜欢的东方是最好不受污染的原汁原味的东方，比如有高腰
大痰盂的茶馆，有石碾轳辘的农家，等等。面对那样的一个东方，他们既可同情，
又可欣赏，还可以自省，可以咏叹，所以当一些中国青年画家把他们自以为很新锐
的"政治波普"画（如把"文革"宣传画与可口可乐广告拼贴），很俏皮的"玩世现
实主义"画（如画一群变形的大头娃娃式的青年在咖啡馆打牌），拿到西方人面前展
览时，他们只得到了极有限的注意，而在西方人眼中"最劲"的中国画，还是《花
营锦阵》那样的东西，或中国农村土制的灶王爷年画，他们确实很"内行"。《天与地》

这部电影就有这个意味,已归化美国的原作者,以一个美利坚合众国的少数民族作家的视角,向美国大家庭的同胞们讲述了一个当代东方的苦难故事,娓娓地告诉他们,在意识形态纷争侵蚀之前,曾有过一个多么如梦如幻的东方,犹如斗笠飘飞在万顷绿秧之上,倘那里仍能如是,该有多好啊!斯通把这一意蕴,表现得可谓淋漓尽致。

《天与地》最后,演到女主角终于在越南也实行开放政策后,重返故里,她当然已是被热情接待的外宾,簇拥着她的人们,无不对她羡慕或惊奇,她也去看望了当年引诱她而她也确曾爱过的那个男人,当年的富豪,如今已沦为小商贩,当他们二人拥抱时,两位演员的表演很是到位,在世事沧桑的情调中,她体现出已然成为西方社会一员的"悯东胸怀",而那位东方男子,则满脸"到头来还得重头做起"的沉重表情。我想影片的编、导、演都不会是那样一个喻意,可在我眼中,却总觉得这镜头,是在表现"西天"与"东地"的亲和。好一个"天"与"地"啊!

不管怎么说,几乎所有的东方国家,都在致力于现代化,"现代化不等于西方化",这话说起来简便,操作起来,可不那么容易。把所谓"人类共同的文明成果"与"西方文明"严格地区分开来,一些西方人希望我们守住东方文明的"贞洁",其急切几与我们东方人中害怕现代化引入西方污染一派等同,我们究竟应该怎么办?尤其在文化策略与知识分子的角色选择上,我们东方人究竟应如何顺应这时代之嬗变和世界潮流之汹涌?

东方西方,均在天地之中,但它们的真正相互理解与融合,恐怕还要经历很久很久,真叫人"念天地之悠悠,独怆然而泪下"!

烹茶更细论

3月6日 星期日

年初应台湾《中国时报》之邀，赴台北参加"从 40 年代到 90 年代——两岸三边华文小说研讨会"，会余，《中国时报》"人间副刊"本拟安排我们到台湾各风景点转悠一圈，先是两位老先生以身体原因决定行程从简，后我又另提要求，所以最后竟是各人自便的灵活安排。我提何要求？我说，好不容易来趟台湾，当然巴不得全岛观光一番，但一来时间有限，二来无论如何拼命趱行，也只能蜻蜓点水、走马观花，留下些虽斑驳而浮泛的印象而已；所以，不如舍其广而求其深。我是一个以创作城市题材的小说为主职的作家，我已熟悉了北国的京城，现在不如以一周的时间，来熟悉一番南国的台北，而且，我的兴趣，还主要不在台北的风景名胜、街市风情，我希望多多少少能接触到一些台北的市民，了解这座名城的内在生态，这当然并不是说，我回北京后就能写以台北为背景的小说了，但，这对我从事城市题材小说的创作，不消说会是很有裨益的。

我就果然除"故宫博物院"、阳明山等处外，再不去赏岛上的名胜风景，一头扎进台北市，试图寻找出这座城市的人文风韵。我从所下榻的福华大饭店出来，手持一张台北地图，先把其四条基本平行的东西向大街一一观察。这四条大街从北至南分别叫做忠孝路、仁爱路、信义路、和平路，路名有浓厚的意识形态色彩。福华大饭店在台北有多处分店，我们所入住的五星级总店正在仁爱路中段，这条仁爱路是台北的"高尚区"之一，尤其是从福华大饭店往西散步，一路的建筑都很讲究，商店门面都不大，却几乎全是名牌专营店，里面商品的标价令人咋舌；在高高的冬日依然葱绿的椰棕树后，一些外表很"雅皮"的公寓楼，象征着台北富裕阶层日常起居所达到的档次；在尽西头，是一个不大不小的公园，园景倒也平平，不过，其中有造型独特的"国父纪念馆"。忠孝路上的新建筑也很多，其中有一座基本是西洋式的高楼，却在门上安了个国粹式的匾牌，竟是一座佛寺，颇令我惊奇。四条大街当中基本都有隔开快、慢车道的绿岛，上植北京难以见到的热带、亚热带常绿树。四条路都时常塞车，除了大量的汽车，如同北京自行车一般多的摩托车更使街市喧闹烦人，空气因此污浊，自不消说。四条路的东头似乎都被繁多的小街切割得零碎难辨，在西边有所谓的"中正纪念堂"，蓝琉璃瓦的顶子和屋体的比例我总觉得失调；不过两侧的大剧院和音乐堂，索性采用完全复古的外观设计，金碧辉煌的，倒不失为台北的标志性建筑……我每走饿了，就拐进小巷，找个小店或摊档吃一点台湾风味的小吃，担仔面、肉粽、鱼丸，等等；走累了，就在街头绿地的长椅上小坐，买一份当天的报纸翻翻；走远了，便叫辆计程车坐回"福华"，几天下来，印象自然丰富而扎实。

台北的旧城区，火车站一带，西门町，华西街，不仅比较地"平民"，而且多"狭邪之地"，自己不敢乱转，故由台北朋友陪同，领略其畸形繁华的生态景观，感到在台北的市民文化中，有着自"日据时期"以来的多种复杂积淀，韧性的生存能力焕发出奇诡的想象空间，有粗悍泼辣的民俗精华，也有放纵声色的颓靡糟粕。在那一带，遇到一些乞丐向我乞讨，我只给残疾人一点零钱，余者避之不及。

只是这样地逛街探巷，也还是不能很了解台北，特别是台北人的心思，因此，我又有意用大量的"夜生活"时间，约些台北的文化界朋友，并又由他们找一些"白领"，三三两两地找比较安静比较"雅皮"的消费场所，作促膝之谈。开头去了几家咖啡厅，情调虽还雅，却无甚特点——太西化了，北京星级饭店的咖啡座也大体如是；后来，去

了几处茶寮，才知近六七年来，台北兴起了一种"茶寮文化"，成为中产阶级，特别是
文化人爱去的消费场所。这些茶寮不同于北京的"老舍茶馆"或"天桥茶园"一类地方，
不是供旅游者观赏民俗表演的场所，而是供三两知音，或至多十来个同道，雅聚清谈的
地方，因此，里面划分为若干布置雅致脱俗的区域，没有"卡拉OK"的喧嚣，一般也无"三
陪"的下流骚扰，茶客们去了，不是被动地由茶寮供茶傻喝，而是由茶寮提供全套烹茶
用具，都极有讲究，或一色紫砂陶，或一概仿古细瓷，或竟索性瓦釜竹筒，茶客自己在
小茶炉上扇火烹茶，茶叶自然又可有多种选择，涮杯、漉茶均有专门的竹帚、筛网……
也略备一点凤梨膏、芒果干之类的小茶食，但主要的乐趣，全在手持雅杯叙些雅话，是
为雅集。

　　正是在茶寮雅集畅叙中，台湾的一些旧友新朋，才细向我讲述了他们的一些心
里话。如一位对我说，你们反对"台独"，当然是对的，但你知道吗？坚定的"台独"
分子，搞政治的，虽然并不多，但四十来岁的台湾知识分子里，模模糊糊倾向"台独"的，
却并不很少，你知道是为什么吗？告诉你吧，是因为对国民党以往的强迫教育方式
不满，比如说，这一辈人上中、小学的时候，国民党推行的地理课，以"光复大陆"
为纲，硬要他们记背根本去不了也并不符合大陆实际情况的地理知识，而台湾本身
却讲得很少，遇到课时紧，台湾部分教员就不讲了，让自己看书，因为在"会考"时，
很少出关于台湾省的题目，这样久而久之，就形成一种逆反心理，"解严"之后，搞
"台独"的出来说：你们生于台湾长在台湾，你们的人生与这个岛相连，大陆跟你们
有什么关系？因此，就发起"认识我们脚下这块土地"之类的活动，很多这一辈人
就被蛊惑得产生了"我是台湾人"的念头。跟我说这番话的人，说他自己是反对"台独"
的，但他认为我们大陆的人，往往并不懂一些台湾人的心思，所以与这一辈台湾人
交流时，思路和言谈就容易错位，原想促进统一，却反而引出误会和反感。又一位
朋友接着说，举个例子，一位大陆来台短期访问的民间人士，甫下飞机，就频频宣
布自己与某国民党元老有某种姻亲关系，这本是他个人的私密，本不必宣谕，揣其
意，大约是以此来表示政治上的开放与亲善，可能有利于两岸统一，但接待他们的人，

却吃了一惊，年轻一代，更为反感，这位先生不知，他所亲善的那种人物，早被台湾青年一代骂为"老贼"，且在"解严"后可在大庭广众中放声蔑视而不受迫害，你欲促统，扎实地在交流实项上用力不好么？何作此态？还有的人，到处说他对到台访问，是"盼了数十寒暑，等了几度春秋"，让人听了"吓一跳"！像这样不实事求是的"豪言"，不但并不能让台湾同行感动，反而引出了不快乃至疑惑……在茶寮中，台湾朋友在与我畅谈各自的文学见解时，也如此坦诚地对大陆赴台的个别人士的不得体之处，讲出了意见，我虽不知是否真有此种情况，亦难代为解释，但我觉得他们确是善意。总之，如不是这样地"烹茶细论"，怕是听不到这样一些摒弃了客套的真心话的。不过，因这回在台时间还是太短，所以，虽有这样的一些颇为深入的交流，对台北，对台湾文化界，对台湾的"新生代"，我也还是只知其一，不知其二，他们很多的话语，我还需细细消化，方不致理解有误有偏。

现归京已近三月，那茶寮中的缕缕茶香，还令我心中充满芬芳。

蓝桥魂未断

3 月 19 日 星期六

前年《大红灯笼高高挂》那部电影正在全世界走红时,台湾《联合报》副刊发出了一篇"嘘"该片的文章,题目是:《〈大红灯笼〉吓人一跳》。为什么"吓人一跳"？那文章的作者,是认为张艺谋拍那样的片子,乃出于"媚洋"的心态。张艺谋曾就"媚洋"的指责,做出过他的自辩。我是站在他一边的。因为我这两年常为一些"花花绿绿"的刊物写些随笔,亦有人讥我"媚俗",我亦要辩。我并未"放下"所谓的"严肃",但我不想一味地"严肃";我自认乃一俗人,不以"俗"为耻;其实"俗"与"俗"并不一样,如乡野逢年演"社戏"的风俗与愚人逢灾闹"跳神"的陋俗,就不可混为一谈。我所联系的杂志的读者,追求日常生活中的"凡俗"乐趣,与一些惟知敛财赌博寻欢作乐者追逐"庸俗"乃至"恶俗"的刺激,便不可同日而语。我给这些杂志写稿,是想"寓雅于俗",用轻松的笔调,侃一些"边缘话题"——即雅者可能顾不及此,而专攻通俗的人又无力论及的"边边角角",起一点帮助读者扩展眼界、开拓思路的作用,这样的"俗",其实是与"雅"谋邻,"偷来梨蕊三分白,借得梅花一缕魂",开好这样一朵花,也是很费神思的呢！

忽然想起了《花心蝶梦录》。19 世纪的俄罗斯,有个无人不赞其雅的大文豪叫普希金,他不仅是伟大的诗人,也是杰出的小说家,他有一部著名的长篇小说《上尉的女儿》,那可是地道的"严肃文学"作品,该作品在一对贵族青年男女的爱情经历中,有机地糅进了关于农民起义领袖普加乔夫的事迹,而且体现出极大的同情。这部不朽的经典名著,本世纪初便由我国一位自己不懂外文,却通过懂外文的合作者口述,以优美的文言文翻译成了中文,书名便定为《花心蝶梦录》。那位自己不懂外文的翻译家,叫林纾(字琴南),他靠别人口述帮助,竟一口气译出了170多部欧美和其他国家的小说。他总是要尽量把那西洋小说的名字"中国化",除了上面的例子,如把狄更斯的《大卫·科波菲尔》译为《块肉余生述》,把司各特的《艾凡赫》译为《撒克逊劫后英雄略》等等。这种"外华内夷"的命名法,在本世纪上半叶,成了一种时髦。后来美国好莱坞电影传进中国,就几乎都要这样地把名字改头换面,请看下面的例子:《春闺梦里人》、《魂归离恨天》、《孤星血泪》、《鸳梦重温》……有一部近来还在我们电视中播放的片子,原名《滑铁卢桥》,译作了《魂断蓝桥》。在林纾的年代,这类做法是"求雅",到了现在,我们可能反会觉得是"媚俗",不管怎么说吧,《魂断蓝桥》是译得很传神的。中国戏曲里有《蓝桥会》这出戏,说的是一位痴心的男子,在蓝桥旁等恋人,恋人因故未准时到达,洪水却下来了,那男子宁愿抱住桥柱坚持,也不撤离,结果殒命,那女子赶到,见状大恸,亦投水而亡。《滑铁卢桥》说的是痴心的女子在桥上苦等从军的男儿,时空、人种、细节虽异,而人性的善美,则息息相通。

由此竟又想到,中西文化的大碰撞,少说也有一百多年了,近十多年被动的碰撞更成为了主动的交融,但双方的"误读",也还大量地存在。

去年秋天,我曾陪瑞典文学院马悦然院士及他的夫人陈宁祖女士游云南。他们由斯德哥尔摩取道香港到达昆明之前,我已在昆明,两位拟带我们出游的云南女士,都是很开放很新潮的"摩登佳女",她们在和我见面时,都猜测来自西方"性文化"的知名人物必定十分浪漫,她们满脑袋装着如下一些并非无用的"前提":西方是"性开放"的,那里婚前性关系很普遍,婚后夫妻各找情人是家常便饭,离婚率高,同性恋公开化……所以她们相嘱一定要"切莫封建",要"见怪不怪"。后来马悦然伉俪来了,我们先去西双版纳,她们确实看到了意料中的浪漫:年届古稀的马院士兴致勃勃地往密密匝匝的热带雨林里钻，仿佛顽皮的儿童；马夫人虽一只脚有残，每晚要自己注射一种特效针药方能保证第二天的行动，但她绝无一丝"我残求悯"的意态，交谈中，高兴时仰颈畅笑，毫无遵守"淑女交际术"一类"规范"的矜持……这都的确十分的"西方"；可是，渐渐地她们就看出来，马氏夫妇之间的恩爱，在他们那个年龄，依然是纵情流露，不避外目，自然和谐，又风趣横生，这自然也有"西方"味儿，可又明显使她们感到"太古典"、"特传统"。她们背后就来同我讨论："怎么他们西方的'性文化'，也挺有'文化性'的？"我笑说："两位的问题，其实也就是答案嘛！"后来我们去石林游览，因石林里高高低低，怕马夫人爬不了，我就和一位女士陪马院士深入，留下另一位女士和马夫人在石林边坐歇，谁知往里游时，马院士一面赞叹其景之美，一面显露出某种心事重重的表情，我们正纳闷，他打破了哑谜："我想和宁祖分享这美景，我回去接她来，我想她能走到这儿……"后来果然照此办理，他们两人牵手赏景，我们三人却赏起了他们两人。

后来大家玩熟了，马夫人主动讲了他们的一些往事，原来苦攻汉学的马悦然，在四川研究四川方言时，在一位陈教授的家里初识了教授之女陈宁祖，一见钟情；1950 年马氏到香港后，即驰书求婚，陈宁祖回信应允，但那时联络不便，手续复杂，马悦然知道陈宁祖会从罗湖桥过境，但不知是哪天何时，于是，他便天天从沙田赶到罗湖桥香港那一端，痴等恋人，日出而至，日落而返，一等就是半个月，那期间，桥两头的把关人都熟悉了他，他一出现，就指着他说："瞧，那傻小子又来了！"……后来，蓝桥魂未断，他们终成连理，再过几年，就要与三子九孙共同庆祝金婚之禧了。

送走马氏夫妇，两位女士感想良多，我们议论起来，越发感觉到就整个人类而言，某些价值观念确是穿越种种差异而普遍、久远、稳定地屹立着的：对童贞的珍惜，对爱情的执著，对婚姻的看重，对家庭的眷顾，以及与人共享快乐的情怀……即使是被称为"性文化"的西方文化中，它那内核，也包含着这样的"不仅是性"的因素。

永失我车

4月5日 星期二

虎子娶了个加拿大老婆，移民加拿大了。这是他的事，只要他高兴就好。临走那天，他从姐姐家出发，本打算坐公共汽车去地铁站，然后再坐地铁，去民航大巴的起运点，搭那大巴赴机场，可是那天他吃完早点，觉得时间有点紧，怕公共汽车久等不来，误他的事，于是便骑自行车去了地铁站，后来听姐姐说，他没有误机，顺利地飞出了国门。

虎子走那天所骑的自行车，是我的。虎子办妥出国手续后，便把他自己的自行车卖了，但后来又因故推迟了行期，便来找我借自行车，我当然马上让他推去骑，那是一辆旧"飞鸽"，是我 25 年前买的。

我在电话里问姐姐，虎子在跟她通越洋电话时，说没说到我那辆自行车？姐姐说他没主动说，是她问了他：你小舅的车，存在地铁站了吗？钥匙可还在你那儿？虎子的回答是：嗨，那么一辆破车！存什么！他到地铁站，随便一撂，就下去乘地铁了……

虎子的加拿大老婆，是香港早几年去的移民，经济上，仅仅是过得去而已，所以他赴机场不打"的"，而去赶民航大巴，我很理解，也很支持，但是他那样利用我的自行车，并弃之如敝屣，却很伤我的心。

　　不错，那是一辆旧车，如果拿到委托行去处理，至多给价 30 元，甚至根本不收，它的商品价值，已趋于零。但它仍然能骑，经过最新一轮的修整，胎不破，链不松，闸也灵，其使用价值，还远在 60 分以上。那是典型的 60 年代产品，"二八"式，车体很笨重，力气小的人简直提不起来，外形不"流线"，很端庄，黑得憨厚，美学上无创意，但质量很好，骑起来很轻松，它老了以后，不再能跑得飞快，但我自己也老了同样的时日，所以合作起来，还是很如鱼在水般自在。

　　我去虎子丢车的地铁站找，哪儿还有踪影！不一定是被偷走，大半是当做有碍观瞻的赘物，被什么部门拉走了。那种失落感，真是刺心镂骨。

　　买那车时，我才 26 岁。我骑着那车去谈恋爱，去跟晓歌到办事处开结婚证明，后来又频繁地用那车驮回安顿小小窠臼的日用品。记得曾在一个凄清的冬夜，因为无"购炉票"买煤炉，便骑车去很远的南城借一个铁炉，把那铁炉绑在车后，我无法控制重心，生怕不慎将炉子跌破，就下决心推着车子护着炉子回家，迎着朔风，我一直走了四个小时，那四个小时里，我握着车把，就如同握着最诚挚的朋友的双手，车子仿佛有灵性，我们互相鼓励，度过了那一晚的严寒，把温暖，带给了我们那只有 10 平米的小窠……我骑着它，去妇产医院，同儿子见了第一面；在苦闷的岁月里，它驮着我，远游颐和园、香山乃至明十三陵……在时代提供了机遇的情况下，我骑它去邮局投出了我的成名作《班主任》，我又是骑着它，去参加了第一次为我举行的作品讨论会……后来我调动了三次工作，搬了三次家，我始终还是骑这辆车，我骑它去国际俱乐部领取了茅盾文学奖，并曾骑它去大使馆参加酒会……我也曾在逛完商场后发现我心爱的旧"飞鸽"不翼而飞，当时马上气短喉急，后来发现是因为我未存车，而被有关人员收走，当我终于与自己的车重逢，听到交出罚款便可取走时，我不仅是如聆大赦，更有一种感激莫名的情怀，自那以后我总是尽量注意存车；我承认，后来有一阵我常坐小汽车，我的"飞鸽"往往被冷落在楼底的存车处里，积满尘土，可是只要可能，我还是把它取出，在擦抹清洗它的过程中获得一种欢悦，并骑上它，哪怕只是在附近兜上一圈……再后来，我赋闲，写作之余，我骑上它，到三环以外所剩不多的野地，采撷大把的野生多头菊……

虎子临行前几天来我家告别，曾笑说：小舅，我在加拿大发了财，一定要报答你！那不会是戏言，我相信他说时确有那样的企愿。但是从他毫无所谓地抛弃我那辆"飞鸽"，可见他已是观念和感情结构都大异于我的一代人，且不说他的观念和情感还会变化，就是现在，设若他并没飞渡大洋，甚至就住我近旁，那也真怕是"比邻若天涯"了！

也无所谓原谅不原谅，不原谅又怎样？虎子如此抛弃了我的自行车，竟使我心里头好多天不自在。那辆破旧的自行车现在何处？还完整吗？如果它有灵，它一定也在默默地思念我吧！

柳　雾

4 月 28 日　星期四

不要说江南早已是杂花生树、群莺乱舞，就是现在的北国，也绿浓红酽、春色如织，可是，早春二月的那团团柳雾，却久久地弥漫在我的心头，令我的生命，仿佛有了一种永远的葱茏。

什么是柳雾？就是残冬与早春互啮的那最难消受的当口，还穿着全套的冬装，行走在水中有冰、冰正软融的护城河边，忽抬头，发现远处河岸的那排垂柳，呈现出朦朦胧胧的团团绿影，如烟似雾，沁入眼、浸于胸，那是春的第一组消息，勾出好荡漾的心绪！

相信很多人都有过同样的感受。柳树刚刚从沉睡中醒来，枝条上萌动出细细的叶芽时，你在近处反而不容易发觉，但远远望去，如是一棵，那么便会感到有一团绿雾升起，倘是一排，那么便恍若一片绿雾在氤氲腾动，那便是柳雾，柳的精灵，通过它昭示我们：又是人生一年春！

春色遥看近却无，草尖如是，柳芽如是，我们心中的春意，也往往被我们自己辜负，我们常为一己琐屑的烦恼幽怨所蒙蔽，而不能把眼光放远，从落寞的情绪中，网捞起心底的温馨，其实，我们所经历的一切，足以令我们憬悟到：人事的荣枯演变自有其螺旋向上的回环往复,如果我们能在每一个残冬,都坚韧地期待着早春的讯息,并能总是最早发现柳雾,哪怕只是薄薄的,隐隐的,似有若无的,而在惊悚中,提升一分乐观,一分自信,那么,我们在前行的路上,必会更欢快,也更稳重!

晓歌入院

5 月 26 日 星期四

送晓歌入院在我们来说，是一桩大事。

还是在我们恋爱之前，她住过一次院，割盲肠。婚后，她的盲肠刀口常令我惭愧，因为我身上还从未由医生开过任何一个哪怕是小小的口子，也许我当了飞行员，便成为足以自豪的优点，但我却当了一个弄文字的人，而且成名作竟被归为什么"伤痕文学"，所以想起来，至少有点滑稽。

这所地坛医院，名副其实地紧贴着地坛公园，环境优美，气氛幽秘，但它的"真面目"却相当地闻之惊心——原称"北京市第一传染病医院"，现在也不改其初衷，是专门研治肝炎的一个医疗机构。如不是万不得已，谁愿意进入这里享受"优美"、"幽秘"！

……一切都还算顺利，我陪着晓歌办完了所有手续，只待住院部派护士出来引她入病房，我们走拢负责接待住院者的那个窗口，还没开门，只听里面传出一声呵斥："别挡着我的光！"

我闻声一望，窗内是一位护士，年可三十许，脸庞颇丰满，正伏案在书写什么。本能地挪开身子后，我弯过脖颈问她："住院可是在这儿等候？"

伊头也不抬，气性很大地说："谁让你等了？！"

声气很像"当头棒喝",却全然不能让我们"顿悟"。

晓歌便和气地跟她解释:"我们手续都办完了,开好了住院证,是那边服务台的大夫让我们到您这窗口来的……"

伊这才抬起头,五官颇端正,如不是满面怒色,倒颇像《红楼梦》里的薛宝钗,令人想起银盆、水杏什么的。

伊斜眼寻觅晓歌的身影,训斥说:"过来过来!你住院你不站到窗口跟前!"

我和晓歌这才站到窗前。

"往后往后!别挡光!"

我俩赶紧往后退。

"拿来呀!"

一对"家藏白果"瞪着我们。

晓歌蒙了,慌乱中竟把手中的脸盆往里送。我忙挡住。我反应过来,把手中的住院通知单递给她。

伊接过单子,很不耐烦地往桌上一扔,仍旧写她的什么东西,会是诗么?

我只好请求:"是不是……请您给病房里面打电话,让护士来接病人进去?"

伊把笔一顿:"用得着你教我?"

晓歌禁不住问:"那我什么时候能住进去呀?"

只有两个字的回答:"等着!"确是"掷地有声"。

又有一位中年男子,由一位青年小伙子陪着,也来到她这窗口,也是差不多的待遇,小伙子毕竟是小伙子,质问她说:"为什么不及时让病人住进病房?"

伊把手中笔一摔,把未写讫的纸揉成一团,抬起"高贵的头颅",把我们四个人合并在一起训:"你们当这医院是你们家的吗?就你们几个要住院吗?我有我的信息你们知道吗?还有个老头儿也要住院,正办手续啦,你们几个一块儿安排进去,懂吗?去去去一边去,别挡着光!一边等着去!"

我们只好退至一边。虽然走廊里有长椅,可这里连着门诊部,为防止交叉感染计,我们都坚持站着不坐。心想好在不会等候太久了。

一个农妇模样的女人走过来问她:"哪儿是注射室呀?"

伊照例头也不抬,粗暴地反问:"你不识字吗?"

偏那妇人说:"是呀,我不识字呢!"

伊这才把头抬起,皱眉,厌恶地说:"去!别挡光!你别问我,问服务台去,我不管这个!"

还是晓歌把注射室指给了那妇人。就在旁边不远。晓歌笑吟吟地对我说:"其实她指给她,倒省去好几句话!"

我望着晓歌的笑容,心里一亮。

都说肝、脾的病,最忌生气,碰到这么一位貌似薛宝钗而性若夏金桂的女士,竟是这样的一种态度,我心里一直忐忑不安,我倒好说,大不了撕破脸跟她干一架,晓歌一个要住进病房的患者,她要先生起气来,岂不是花钱来添病了吗?

而晓歌却微笑着,只把眼前的这位"宝姐姐"当成个小笑话。"生活里免不了常遇上这号人!"我从晓歌眼里读出了这样的感慨。她能不以为怪,不往心里头去,这太好了!她的心智、抵抗力倒比我健旺多了!

可是我们等了许久还没能够进去,于是我和小伙子就都再去问,伊仍是那句话:"等老头儿办好手续一块儿进!"

老头儿怎么总办不好手续呢?我便跑到前楼办住院手续的地方,那儿哪里有人在办手续呢?空空的,我便凑近窗口打听,回答是,老人来办手续,可是没带他们单位的支票——不论公费还是自费,必得先撂下一万元的支票或现金,方开住院单——所以又回单位取去了,他那单位在哪儿呢?在石景山,也就是说离这医院来回坐车要两个半小时的距离,如果他找不到会计,或没找到领导签字一时领不到支票,那他可能要过两天再来办住院手续!

忙跑回原处,告知晓歌和那两位先生,都大惊,都说:"我们难道在这儿干等上两天么?"我和小伙子便忙去对"宝姐姐"说,我们不能等那位老人了……而这时办手续的地方和病房里面都给她来了电话，看得出那两个部门还都很是通情达理、体恤患者的，也不知她对话筒说了些什么，反正不一会儿病房的护士就出来领引患者了。

我们临离开那窗口时，晓歌回头对"宝姐姐"说了声："麻烦您啦！"

我知道那绝对不是讽刺。

……把晓歌安顿好了，出得医院，我一个人进入地坛公园，走到那条两侧都是银杏树的甬路上，还觉得晓歌开朗而安详的微笑，游丝般粘在我心上，痒痒的。记得去年深秋，晓歌引我在这条甬路上来来回回徜徉，那时银杏树满披黄叶，秋阳透过那些黄叶，稠处泛红，稀处漏光，煞是曼妙，而随风又有小扇般的叶片袅袅飘落，我们两颗心，都因生命的奇诡与珍贵而战栗……

是的，起码在这桩事上，一定要超越"对服务态度不好而生气"，要穿透"愤世嫉俗"与社会学的联想，也不是搞什么道德范畴的"谅解"与"宽恕"，是的，晓歌的这次手术对我们来说，是很重大的事情，这里面有我们"贫贱夫妻"的百事哀乐，有我们两人对各自生命的珍重与携手人间的默契……

回到家中，心里出奇的平静。灵魂绿荫荫的，仿佛正当盛夏的银杏树冠。

新式手术

6月14日 星期二

直到中午，晓歌的手术才完。

是到煤炭部总医院做的。

地坛医院的外科主任杨大夫很有敬业精神。他看上去总有五十多岁了，和我应是同龄人。对晓歌这种因长期患迁延性肝炎而形成的脾亢进（已达三度），过去都是采取切除的办法来恢复血象，保住肝脏，他在大学里学的，长期临床实践中达到熟练的，都是这种传统的切除术。可是近十年来，世界上出现了一种很先进的办法，就是由医生操纵一台电脑控制的手术机，先将如头发丝一般细的探测线（据说是金属制的）从患者的大动脉探入，循血管找到计划中的某个部位（医生是通过很大的一个显示屏来确定的），然后再引入同样纤细的导管，把一种很昂贵的药物导入至该部位，把那里的血管栓塞住，目的，是使一部分内脏因断血而坏死（干燥收缩），以解决亢进问题。这样患者就避免了"开膛破肚"。杨大夫跟我详细谈了几次，建议我同意给晓歌施这种"栓塞术"。他说虽然采取常规的切脾术他更轻松，但为患者少受痛苦，特别是考虑到晓歌的具体情况——她是万不能失血过多的——他愿很精心地为她做一次简直是不怎么失血的"栓塞术"。为了万全，杨大夫说，虽然地坛医院也有那么一台机器，但型号不是最新，不远的煤炭部总医院是新装备起来的，所引进的是德国西门子公司的最新型号，花了一百多万美元，而且，那里有一位刚从海外学成归国的博士，他们两人联手为晓歌"栓塞"，当更稳妥。我开始无论如何难以想象，金属的探测线，怎么能在血管中游动，遇弯转弯，由粗而细，竟不会将血管壁刺破？我把自己的疑虑讲了出来，杨大夫解释之余，更劝我说："对于现在人类所创造的高科技，最好不要运用我们的日常经验去想象，那是越想越错的……"我终于同意为晓歌做这种高科技手术，在手术通知单上签了字。

在手术室外的走廊上，和远儿坐在一起，我一会儿很乐观，环顾着空无一人而明洁爽净的走廊对远远说："这医院真不错，建筑、设备的水平都跟西方差不多嘛……现在外面烈日炎炎，可这里头，竟如此凉爽！"一会儿却又不免心烦意乱，想起一位朋友昨晚电话里的"直言相劝"："那位杨大夫大概是想通过给晓歌手术，练练'栓塞'的手艺吧！他是怕今后外科新技术发展得越来越快，把他抛弃在手术室外啊……"这么说晓歌成了给人"练手"的"实验品"了！更又想起另一位熟人所说的，他们单位有个女士，也是做脾栓塞，结果失败，应坏死的部分并未坏死，倒溃了一包脓，到头来还是不得不采取"老办法"开刀，但切脾前还得先收拾那些脓血，受苦大了！……

我努力地调整思路，终于还是回到"杨大夫这样做，是敬业，也是晓歌应有的最好的一种手术"上……后来手术终于结束，当我看到推出的平床上，晓歌面带微笑，并且一身蔚蓝色手术服的杨大夫一脸释然的表情，收紧的心才一松，恰似憋了许久的花蕾，在一阵春风中绽开了花瓣……

……现在静夜中，窗外的二环路上，飞驰的小汽车摩擦路面的声音格外真切，我在家中记日记，却不知晓歌在病房睡着了没有？杨大夫要求她24小时内，绝对要平躺勿动，她能忍耐吗？那是女病房，我和远远都不宜陪夜，只好麻烦小阿姨小孙了，小孙也是头一回在医院陪夜，她能适应吗？

往日真没觉察出，有晓歌的夜是何等"自然"，现在她不在家过夜了，顿感"不自然"起来——妻子，这是"家庭生态"中最重要的一个"链环"啊，至少于我是如此……

忽念及晓歌的优点：她总是能比较轻易地对他人建立信任，比如在火车上，她就总能很快同邻铺位的旅客形成一种类似"芳邻"的关系，人家问起她什么，她总是如实地告诉人家，时常令一旁的我着急，以为她"曝光"过多。说来也怪，虽如此，她活到这50岁上，倒也并未因此吃过什么亏，而自诩谨慎的我，却几次"好心不得好报"，被所坦诚相待的人狠踹了几脚……这回，她是身受者，对于杨大夫，她是完全地信任，我为了她，倒被别人的"恶意揣测"，撩拨得不时心烦意乱……但愿这一回，她那善以善意测人的天性，仍能助她安度此劫！

长廊随想

6 月 15 日　星期三

不能不生晓歌的气!

医生明明告诫她:24 小时内绝对要平躺,她却在凌晨——距手术结束仅 18 小时——自己起来去卫生间小便,更为荒唐的是,她又弯腰在病室里拾"隔离纸"!

结果,她那右腹下的动脉手术孔,非但未能凝结生痂,还渗出了新血!

为什么要自己上卫生间?据她说,是因为那时小孙在一张未接病人的床上,睡着了。可是小孙对我急得要哭出声来,说她是随时准备被叫起来给晓歌用便溺器接尿的,她睡得很轻,一叫准醒……小孙凌晨小睡合情合理,问题是你晓歌为什么"舍不得叫她"?!我在愤恨中,当着小孙,对晓歌说出了这样的话:"我们既然雇了她,给她钱,就是让她来给你接屎接尿的嘛!你如果舍不得麻烦她,那又何必让她睡这传染病院?为的是让她染上肝炎吗?!"

至于为什么弯腰拾那些散落在地上的"隔离纸",她竟简直说不出个道理,想来无非是"看不过去",这种洁癖害死人!所谓"隔离纸",是因为这是个传染病院,为防止交叉感染,所以病人们都准备有大量的小纸片(有的用旧报纸撕成),凡握门把手、床栏、床头柜抽屉把手、窗户开关……时,都用一张那样的纸片垫在手与物之间;其实一到早七点便有一位穿白大褂、戴白口罩的大嫂来各病房清扫地面,那些地面上的"隔离纸",她的扫帚一到,自然全都归入簸箕,何劳晓歌提前一小时清除?!

同病室的病友小邓与小鲍,都跟我说,她们当时迷迷糊糊,待清醒过来,"悲剧已然发生"!她们都后悔没能及时醒来,阻止晓歌,并帮唤小孙……

杨大夫一早就入了手术室,为一位孕妇接生——这也是地坛医院特有的业务,因为有的女士孕后查出转氨酶高等肝病象征,她们就不能到一般妇产院去,而只能到这种地方来生产——来查房的是他的助手李大夫,小李是个刚从医学院毕业没多久的小伙子,他一见晓歌的手术孔正往外渗血,忍不住"哎呀"一声,我的心随之如被绳勒……

当李大夫为晓歌做了紧急处理,护士为晓歌吊起了输液瓶后,在晓歌床前,我们两人对视着,晓歌脸色苍白,满眼的"对不起",我心软了……

一上午我为晓歌接了六次尿,她都乖乖地平躺着,再不敢"胡闹"。

下午刘远来接我的班,在走廊里,他脸上表情怪怪的,压低声音跟我说:"太可怕了,那边刚死了一个,说是肝癌……"

我沿着医院长长的走廊疲惫地往外走……忽然想到,这医院尽东头,是产房,而尽西边,是太平间,生命的起点与终点,都在一个墙围里,而我所经过的这条南北向的长廊,恰似人生的中界线……

我又想到,性格即命运,这话真是一点都不错,晓歌她的"犯错误",是由她那善良到"滥善"地步的天性造成的……其实这错误不是自今日始,刚生下远远时,她分明还是个丰满的女子,可是她坐完月子没几天,就自告奋勇去"深挖洞",当时她说:"反正每个人都要轮一个月的,晚轮不如早轮!"我劝阻她:"现在又没派到你,你何必呢?"没劝阻住,她去了,好累的活!打那以后,她就查出了乙肝……其实没几年"文革"就结束了,许多没轮到"深挖洞"的,也就都免于那番苦力了……她就总是这样想、这样做,现在成了这样,赵飞燕似的,瘦得可以"和盘托出",怪谁呢?

又胡乱地想到我自己,虽说命运待我不薄,可待人接物上,总那么惹人訾议,这倒也罢,为什么有人背后对自己射暗箭,自己还傻乎乎地去跟他论文谈艺呢?而一旦暗箭穿肉,惊悚之余,又全然不能佯装无觉,还对方一个隐性报复,只会怒目相对,弄得尽人皆知,并招致对方更阴险的暗算……

并且想到远远,这孩子眼看要当工学士了,却还那么幼稚……记得他初中时看了日本电影《砂器》,吓得睡不着觉,问他是不是怕那里面的杀人镜头,他说不是,他所怕的,是麻风病!晓歌刚住院的那天,他傍晚来医院,见到同一病区一位全身泛着黄胆汁的病人,回到家也连连跟我说"可怕",现在他干脆看见往太平间里推死人,心灵上受的刺激,一定更深……他正当青春花季,让他冷静对待"生老病死",特别是那后三个字,谈何容易!我温室里育大的远儿啊,你何时方能"心硬"起来?

……

地坛医院那条南北向的长廊,真长得可以!我曾写过《无尽的长廊》,那条想象中的长廊,与这地坛实实在在的长廊,氛围何其相似乃尔!冥冥中谁在支使?

宿命,还是命运无定?

对我来说,将是无休止的、痛苦而又甜蜜的哲思。

要去上海

6月18日 星期六

明天要到上海去。想来想去，还是去吧。

晓歌在病床上对我说："你放心去吧。有远远、小孙来轮流照应，也就够了。"

晓歌的动脉手术孔终于凝住，她也变得听话，能遵医嘱暂缓下床，而最让我心为之一宽的，是术后第一次验血的结果：白血球从术前的1600（少得可怕）提升至7000，血小板从术前的40,000提升至100,000……这说明栓塞术确实产生了立竿见影的效果——血象大为改善。

上海第二届长中篇小说优秀作品大奖评选结果已出，我的《四牌楼》获长篇二等奖；第一届长篇一等奖空缺，这一次评出了张炜的《九月寓言》；这回的二等奖只有我这《四牌楼》一部。李子云大姐从上海打来长途电话，告诉我这一消息，她是评委，据她说这评奖程序是蛮严谨的，首轮入选后，评委们充分讨论，徐俊西，她，还有几位，都很肯定《四牌楼》，也有评委坦陈意见，不喜欢《四牌楼》的结构形式，最后无记名投票，严格地据得票数排定"座次"，张炜的《九月寓言》大约是全票，荣获榜首，我的《四牌楼》亦可算名列前茅……她说上海的朋友们都盼我去一晤；我跟她说我去，上海文化界一贯支持我，这回又如此厚爱，焉能不去？

又接到上海文艺出版社修晓林电话，这回是代表出版社正式通知我赴沪领奖。

晓林是《四牌楼》的责任编辑，记得这部我写得最苦的作品终于整理完毕后，无论从哪方面自我衡量，都很担心它难以面世，所以我抱着自己的文稿（写它时尚未用电脑，还是"刀耕火种"的一大堆"手拔稻捆"），就仿佛抱着个并不妍艳的娃娃，生怕送往"托儿所"时，遭到只喜欢"宁馨神童"的"阿姨"白眼，而修晓林来我家约稿，我先把其大意与追求跟他讲了一遍（就好比先给他看娃娃的照片），他的反应，令我感到是真的有兴趣，并且不仅是有兴趣，还在提问与议论中，显示出一种难得的共鸣，在那样一种情况下，我才把书稿从柜中取出，给了他（好比终于牵出了亲生子，托付阿姨去"全托"）。晓林把稿子带回上海，很快通读完，很快给我打来很长的电话……我深感《四牌楼》这娃娃是"托"对了地方，当然整个上海文艺出版社对我都很支持，这本书得以很顺利地出版……虽如此，它的得奖，还是出乎我的意料，也许，晓林他们原也未曾料定，因为上海这两年出的长篇很不老少，光上海文艺出版社本身就出了一摞长篇……

晚上接到几位朋友的电话，有"圈内"的，也有"圈外"的，有趣的是他们对《四牌楼》的得奖反应很不相同。

一位说："你呀，成得奖专业户了！"

这话甜甜的。我嘴里少不得说些谦虚恬淡的话，其实，心里还是蹿出得意的火苗。远了不算，光这几年，《福建文学》、《南方日报》、《羊城晚报》、《芙蓉》等报刊就都给过我奖。窥视自己的人性，实在还是很俗陋的，在这个熙熙攘攘的世界上，虽也时时参与"耐得寂寞"的合唱，而灵魂深处，却有缕缕热衷功名利禄的焰苗在旺旺燃动，尤其是对"名"的偏爱，生生不息，颤动不已，自己常对自己说：我不欺世，不盗名，全凭自己努力，奉文于世，取名于众，大可心安理得……但在这夜深人静之时，不禁探问：这灵魂底层的骚动，究竟是善，还是恶？

另一位来电话的则说："哎呀，二等奖你也去领呀！"

这位对我绝无恶意。他是"圈外"人，我也无从向他详细解说这奖虽是二等，却如何之不易。但他这话，却如同一束强光，令我窥见了"他人"之心。想来人生在世，一大悲苦，是必得受他人之审视，他人往往乐于锦上添花，而惰于雪中送炭，至于趋炎附势、嫌贫羡富、追星弃石，更是超时空、超制度而存在于人类的"人性之舞"，你看我现在并不是倒了霉受了罚，而是得了奖，只不过得的是二等奖，他作为我的朋友，便并不为我高兴，而是真诚地替我败兴，"他人"之于我，鞭乎？锥乎？虽也算是一种策励，却令我心痛！再往深里想，我之于"他人"，不也是一个"他人"吗？我对人家，那眼光，那心思，不也往往求之极苛吗？也常常托言厚爱，以极高的标准衡量人家，动辄对人家的精心营作摇头抿嘴，说出"何不更好些？"之类的"爱护之言"……

人性就在我身我心，我却并未将其参透。

这功课，要修一世了！

吾家三猫

6月19日 星期日

很少在清晨写东西。下午要去上海，今天例外。

昨夜睡得不好，现在想来好笑：为了形而上——关于人性究竟是怎么回事——的思考。

其实生活的意义，应更多地蕴含在形而上与形而下之间。

家里的三只猫，一早就都等着吃饭，往常都是晓歌一早起来给它们喂饭，不知她是怎么"始作俑"的，偏要给它们吃"肝饭"，养成这三只猫除了煮熟的肝捣成泥，再拌以米饭，都不以为美食，连煮小鱼也多半浅尝辄止。

睛睛，这真是一个完美的尤物，关于它，晓歌已发表了文章，讲她如何用我从巴黎带回的一瓶南韩人参酒，从邻居那里求换来了这个活宝贝。它的体魄，属于猫中最硕大的，凡到我家来看到它的，无不首先惊奇它的"大"，而它那双碧蓝如一掬天宇的大眼睛（晓歌正是以这一特征为它命名），那端正的鼻梁（不像许多与它同种的波斯猫那样，是塌鼻梁），那丰满的腮毛，那经常竖起的又长又粗又蓬松又灵动的大尾巴……更是令人"爱不释眼"；但这睛睛偏并不爱与生人相处，一听门铃响，嗅出不是家里人，便退进内室，找个舒服的地方趴下养神。偶尔慢悠悠踱出客厅，客人刚看见它，它竟又作"养在深闺人未识"之态，令客人大有"翩鸿一现却又隐"

之感。这一阵晓歌住院去了，睛睛显得闷闷的，常常微微抬头，用一双蓝眼睛盯住我，我的眼光与它相遇后，便很难与它的眼波撕捋开，它分明是在质问我：女主人哪儿去了？怎么你不把她找回来？奇怪的是它并不喵呜地叫，使我陷于"尽在不言中"的责怨而不能自拔。刚才我给它们拌饭时，我再一次向它解释，女主人是不得已住了医院，我当然是会尽快接她回来的。睛睛望我的眼神，却依然充满疑虑。

狸狸，这是一只性格孤僻而多疑的紧毛猫，但它的灵魂深处，一定潜伏着强悍的能量。它更是客人未进门，一闻门铃便蹿入我和晓歌的卧室，死不见生人的。我根据文献资料，正儿八经考据出，它是一只"挪威森林猫"，并且又完全符合日本的"招财猫"规范，所以给它取了一个"招财进宝猫"的外号，每回从传达室领回稿费汇票，家里人总要望着它笑说：狸狸又招财啦！它倒居功不傲，多半总是谦虚地自舔背毛。有一回窗外忽飞进了一只大蛾子，那真是所谓的"幺蛾子"，毛刺刺，麻乎乎，睛睛虽硕大，却只是望着，俯身缩腰，不敢轻举妄动，狸狸却勇敢地迎上去，一蹦三尺高，伸爪扑捉，越战越勇，最后居然将那大蛾子捕获。大约是怕那蛾子诈死，狸狸用一只爪子按住它，用另一只爪子试探再三，直到判定它真的再不能兴风作怪，这才让给睛睛一口吞掉了。狸狸对女主人的缺席，显示出一种很古怪的反应——它从此不进我和晓歌的卧室，我把它抱进去，它立即蹿出，它原是最爱盘在晓歌脚边睡觉的，难道晓歌不在了，它是赌气吗？

喵喵，本来我们没这只猫，它是晓歌住院前两个月才来的，它的主人，一对三十多岁的夫妇，前后脚去了美国的耶鲁大学，因为是邻居，又是"猫友"，并且又是远远的英语教师，几层的关系，因此临行时来"托孤"，我和远远面有难色，晓歌却一口接收了。这喵喵来后，在睛睛、狸狸前一副公主相，使我家时时掀起"三角恋爱"的风波；它是一只所谓的"彩猫"，就是身上、脸上都绝不对称地分布着黄、白、黑三种长毛，它虽是我家的新成员，却凡有客来，必迎上去亮相，甚至毫不在乎地跑到客人身边，闻人家的脚、裤腿，乃至手、衣袖……有的客人偏恭维它，说是"好漂亮"！我却至今对它只是"以礼相待"而已。晓歌住院去，它浑然不觉，喂饭时我平分三盆，它吃完自己的，还要去舔光睛睛和狸狸的剩余，全无仕女风范！

我去上海后，喂猫的重任，便"历史地落在了"远远身上。

我们这个小小的家庭，之所以能和谐，大概是天意吧——比如对猫，我们也并没有讨论过，搞过什么"统一思想"，当它们打破了家里的花瓶，抓坏了沙发，弄乱了什物，甚至偶尔挠破了我们皮肤，一家人竟都仅是惊叫几声，笑嚷"打，打"，心里还是那么爱怜它们，有着这样共同心肠的几个人，相处起来，自然快活多，愁闷少了！

热爱每一种生命，见到生命的活泼跃动便惊喜莫名，这是多么好的心情啊！

——但，被狸狸捕获并被睛睛吞掉的那只大蛾子呢？还有苍蝇、蚊子、蟑螂呢？我也要爱"活泼泼"的它们吗？！

唉！又是形而上！

别总这么沉重，且收拾旅行箱，准备赴沪！

上海光斑

6月26日 星期日

我从上海回来了。晓歌也出院了。

这回的上海之行，匆匆之中，留下不少可永烙在心上的光斑。

家中有点"百废待举"的形势，而几处报刊的编辑朋友又逼索甚紧。不可能把上海之行作一详细记录了，且随"意识流"，信笔将"光斑"泻于笔下，聊备后考。

张炜这回大受欢迎，不，不仅是欢迎，上海对他真有点"掌上明珠"的味道，上回的一等奖空缺，这回不缺了，却并未颁给一位上海作家，而给了山东的他，谁说"上海人精于算计"？我看是毫无"背景"、压力、"引导"，特别是毫无"经济"等功利因素的一次真正的"厚爱"，或曰"偏爱"，初选评委和终选评委一致叫好，似乎得的全票……昨天Z君电话里笑呵呵地问我："上海人吃了什么药，《九月寓言》哪儿有他们说的那么神妙？"我只告诉他，那是真正从专业眼光叫好……我在发言时特别祝贺了张炜，我说，他的《古船》就该得大奖的，同王蒙的《活动变人形》一样，是被非专业性因素，由某些人操纵，硬给不公正地排斥掉的……张炜在讨论会上发言，原来颇嘈杂的会场顿时安静，他语音未落，而掌声骤起……目睹一个比自己年轻的作家如此风光，我心中确实只有高兴，我为自己能有这样的健康心理而欣慰，愿我能将这种好心态保持下去……

……李子云说请我到希尔顿喝咖啡，因为约会太多，而我甫抵沪她已请我吃过一餐，所以竟未能如愿……可是临行的前夜，我同另两位朋友先在"红房子"吃了西餐（失望，竟觉粗陋，是我变得"口刁"了吗？），后又跑到波特曼商城去喝咖啡（亦大非在京所想象的那么优雅），但最后跑到希尔顿，乘透明观览电梯到第 39 层，在酒吧的大落地玻窗前品鸡尾酒……遥见南京东路霓虹灯闪动如钻链，而一轮皓月当空，几疑升腾仙境，三个人说了许多的话，知心的吗？至少是不欺心的吧？在这越来越波诡云谲的世道里，人与人相处，能不欺心，已属不易……

……上海图书馆提出收藏我的《四牌楼》手稿，令我受宠若惊……他们此前所收藏的，仅限于 50 年代前进入文坛的作家之手稿，现在他们拟增大收藏范围，对 50 年代以降的作家收入手稿，我还是头一名……馆长百忙中赶来，举行了一个简单然而庄重的捐受仪式……那分馆的小楼很陈旧了，但墙上爬满翠绿的常春藤……会议室里光线很暗，只有风扇而无空调，闷，热，湿，潮，但来了二十来个人，与我座谈《文学与心灵》……是的，文学不灭，小说不灭，我以为，是文学这东西，自有其探究灵魂的优势……可这探究灵魂，写起来洵非易事，读起来又何尝轻松？这世界越来越让人感到紧张、紧迫，人们难道还愿再读沉甸甸的东西吗？……可是就同苦瓜、咖啡虽苦，偏有人吃它、喝它一样，我以为，越面临匆促浮华的生活，有一些人便越需要坚实明净的文字……"你要一如既往地写下去，别改弦易辙！"发言者望着我，我却只见两片眼镜在闪光，全然无法一窥那"魂窗"，但我很感动……

……老城隍庙在逐片重修，前面翻修的街道雨后尤其污浊杂乱，连湖心茶楼也搭着脚手架，到处围着些大块的"蛇皮布"，败兴……但旧的不拆，新的不盖，何来"现代"？上海到处是工地，巨大的地基坑，飞扬的尘土，运料的笨车……喜剧中也有悲剧，就在我们发奖那天早上，大街边一堵待拆未拆的废墙訇然倒下，把恰恰路过的几位市民压住，或死或伤……冥冥中谁在指挥、裁决？为什么偏那几位是"恰恰"？为什么这个就死那个就伤？……吴亮到我们房间来，很激动地跟我发了一番议论，对许多人推崇备至的淮海路那"欧陆风情"的装修热，大泼冷水，他说那只显示出，我们进入了一个"镀金时代"，所谓的"高档装修"，多是"包上一层华丽的皮"，"一撕就可剥落"，"活像舞台布景"……他说一些商场门面，搞些西欧式的古典壁龛，里面摆些大型的石膏赝品，大多是古希腊的名雕的拙劣仿制，"触目惊心"（这一点我有同感）……淮海路的这种"镀金"，各地皆有，无所谓对错；吴亮的抨击，也无所谓对错；商潮要汹涌，"迫不及待"地要呈"暴发相"，谁能遏止？美学家偏指指点点，"大放厥词"，你又"其奈他何"？……吴亮说他"很愿意跟你（指我）谈谈"……他在讨论会上说"五年不看小说了"，可是他却跟我提起我 1992 年出版的长篇《风过耳》，甚至我刚在《作家》上发出的《影星和我》，说我"写得蛮刻薄的"……他左手小指上戴着一只大戒指（似乎是银的，花样复杂的），发几垂肩，穿一件大红的文化衫……诚为妙人！可惜我们未及多谈……

厨房水壶哨响，该关火、灌暖壶了，打住，我人已归京，心也该归京了！

"甜蜜的尴尬"之后

6月27日 星期一

接郭风老信,他已接到我寄去的两幅画,并将香港《华侨日报》发出的我的文章《甜蜜的尴尬》剪报随信附来。

其实,我跟郭风老先生并无深交。更冷静地描述我们的关系,则应说连"浅交"也谈不上。我们仅是"认识"而已,甚至够不上互称"熟人"。1981年,我和谢面冕等北京文友游闽,在福州会过他,并未深谈。当然我对他印象很好,蔼然可亲,恬淡平和,但极有艺术个性。他自青年时代迷上了西班牙阿索林的小品文后,便一生以小题材、小篇幅、小情趣、小憬悟的散文为文业,"任凭弱水三千,只取一瓢饮",在文坛一隅静静地开放独家小花。

我们自十几年前暌别,从无联系,可是他今年看到《中国作家》封二上我的两幅水彩画,却写来了信,好大一个信封,原来里面还放了两张宣纸——他竟向我"求画",说是喜欢我画得随便自然……他信中并说,他1938年结婚时(彼时我尚未出生),曾定做了几个龙眼木的画框,"文革"时失散,现在复归,他是想让我画两幅画给他,以便镶于复归的结婚纪念物中!

同楼的凤珠大姐听说此事,笑告我:"哎呀,郭风他女儿就是专业画家嘛……"

我更吃惊,也更感动。确是"甜蜜的尴尬"!

后来我趁兴致上来，铺纸给郭风老画出两幅。不伦不类的画法：宣纸，却没用国画颜料，用了水彩颜料；"国画"的"条幅"形式，题字却未用毛笔，用的油性笔，但又敲上了印鉴……一幅画的是大片绿叶，下面一角是些艳红的花，题曰："枫叶不羡二月花"；一幅画的是水中白莲，题曰："映日荷花不必红"。都画得不理想，色彩太淡，干燥后更欠效果，特别是第二幅。但倒都是"一气呵成"的，气尽我兴也阑珊。以后再画像样的给他吧！这么想，也就寄去了。

郭风老却在来信中说，得到这两幅画他很高兴，并说：看来，文人画，多爱做"翻案文章"。这可能确是"文人画"和"画苑画"的一大"心理差异"。

忽又想起上月，在建国饭店大堂同刘年龄女士喝咖啡闲聊，这位来自美国波士顿的洋博士，并是在大陆的北大、北师大当过"客座"，讲过艺术理论课的人物，竟正儿八百地说：你为什么不多画？你多画些，我在美国为你办画展！其实她并没看过我几幅画，只是这几年，圣诞、元旦前，收到过我寄去的小小自制贺卡罢了；我寄出的贺卡，是"看人下菜碟"的，给每位得主，依据他（她）的不同情况，或我们之间的交往特点，画出不同的内容，给年龄女士画去的是什么，现已不复记忆，她却不仅仍加保留，还因此鼓励我"发扬光大"，认为我这一双陋爪的"孔雀"，已到可往大洋彼岸"一展尾翎"的地步。当然，美国那地方，办画展也不是什么了不起的事，是个人都可以自诩为画家的，可年龄女士口出此言，还是令我耳热心暖。

无独有偶，并且还接二连三！前些天忽又接到女散文家斯妤的电话，我们俩仅在一次某杂志的约稿宴上同过桌，从无任何联系，她却巴巴地打听我的电话号码，并打来电话，内容很单纯，就是告诉我她看了《中国作家》上登出的画，喜欢！

我真的有绘画才能吗？我应当多画吗？真是应准备搞一个画展吗？

人贵有自知之明，我心里不糊涂。

人亦切莫妄自菲薄，我心里不堵塞。

　　忽然又想到，人生是个奇怪的旅程，你爬上了这个山头，山风拂发，正自欣慰，却会听到另一个山头上的呼唤，那可能是一个更高更美的山头，你听那呼唤说的是："你在这里更加辉煌！"你会因此冲动吗？惶乱吗？疑惑吗？怅然吗？

　　自己对自己说：且还是每天写文章，偶尔乘兴画几笔吧！

福 哥

6月30日 星期四

下午外出采购，从商场出来，提着好重的两大兜物品，返家路上，决定到福哥那儿歇一下。

福哥的铺面，正好在商场与我家的中点。他开的是个修补汽车轮胎的作坊，除修补轮胎也还兼营些别的项目。

我走进去时，福哥正坐在桌后，与坐在对面的两个小伙子下象棋。

"好消停呀！"我进门大叫。

福哥见是我，眉毛上扬，很欢迎的样子。但他站起来后，眉毛下落，眉梢落得过了分，说："嗨，好半天了，没活儿！"

那两个小伙子是他的雇工，前不久他才下决心正式雇工，我见那两个小伙子都是细高挑儿，脸也都瘦长，不由说："是哥儿俩吧？"

一个就笑说："我们俩，离得远着啦！"

原来一个来自甘肃，一个来自延边。他们现在就住在作坊间后面的小房间里，那小房间也是福哥的住房，两个雇工住上下铺的一架铁床，紧挨着是福哥自己的单人床，福哥在附近胡同里还有一间住房，雇工后，他媳妇就和他女儿都到那边去睡。

福哥把我让进后面小房间，当心的方桌上，堆着许多馒头，福哥问我："吃吗？"

我知道这不是客气话，我如果想吃，拿起一个便啃，他会高兴的。福哥得意地说："我蒸的，你看多暄！"我点头："碱下得不多不少，白得爱人！"但我多少有点虚伪——有几只苍蝇正爬在馒头上，我面对那些馒头绝无星点食欲。

福哥打开屋角的冰箱，把晾凉了的馒头放进去，刚说要给我沏茶，徒弟——也就是他的雇工——来报告他，来活儿了。

来了两辆车，一辆大载重，一辆小轿车，都要补胎。

福哥不客气，立即去接应、指挥，我落了个自便，坐到福哥的床上，发现他枕边撂着一本书边已摸黑的《谋略大全》。取在手，翻了几页，一笑。

……踱出小房间，去看福哥他们补胎。那手艺似乎很简单：把取出的内胎先在一个大水池（是用半个大汽油桶做的）里浸一下，然后取出逐节压挤，判断何处坏了该补，再将该处用钢锉锉平……补时是将轮胎的相应部位夹在一个福哥自制的电烙压器上，压上后需过些时候才取出；福哥是那种来了活自己同雇工一起干的老板，他们的活路里体力劳动的成分很浓，特别是将轮胎撬下来时，几乎全身都要用力……

福哥又把我请到小房间里，望着我，说我一定又熬了夜，眼睛下头黑成个蛾子；我说腰痛颈酸，他便让我趴在他床上，给我按摩，捏各处穴位，趴着捏完又让我反坐在椅子上，继续地捏。他的手极有力，在他不过是"轻轻"，我却胀麻不已，有时他下力稍大，我便痛得"哎哟"大叫，那声音一定像是有人杀猪，福哥便笑，停住，问我怎么那么娇气？我便鼓励他更放肆地将我的各个关节、穴位都揉捏开、刺激到……同以往一样，福哥这样"折磨"我一番后，顿时我便浑身舒坦，接连几天都会睡上好觉，只是胃口也会因之变大——那是一种非我所求的"副作用"，很妨碍我减肥。

……徒弟来叫他，我随他出去……一位主顾来取胎，说是所要的价钱（20元）太贵，人家雍和宫那边，才要10块钱……福哥脸上笑着，话却一句比一句硬，大意是说原来您来的时候跟您说得清清楚楚，您这个型号的胎，在这儿补我得多收点钱，原因是什么什么，当时一再跟您说让您考虑考虑，如嫌贵您就凑合开到雍和宫那边补去，那儿没有什么什么，自然比这儿便宜，是您自个儿乐意在这儿补的，现在您又嫌贵，我们补完了，难道再给您捅破了不成？您要自己心里头过得去，您一分钱甭给，走人，您要想给钱，我还是一分钱不掉价！……这时的福哥，显示出生意人的本色，令一旁的我，叹羡交集。

那位主顾是个出租车司机，虽满脸的不痛快，到了还是按原价交了费。

……我告辞，福哥送我到大街上，就在他店铺前的街边上，一个老头正蹬来个平板三轮，在那儿向路人推销几种过期杂志，说是"一律一块一本"，我不免朝他那摊开的杂志望望，其中的一种是《中华儿女》，去年第三期，封面上有我的相片，我暗暗一笑；福哥并不清楚我所从事的一切，我没送过他我的书，没告诉过他我发表过什么文章，当然更不会让他看这本《中华儿女》，我今年一月去了趟台湾，回来只跟他说出了趟差，也没告诉他，他也都浑然不觉……对于他来说，我是个住在立交桥和护城河对面那高层楼里的一个偶尔到他那里坐坐、聊聊，不讨厌，或许还让他有几分喜欢的泛泛的朋友而已；他并不喜欢文学，订得有报纸，却从不看副刊那一版……

我就跟福哥在那老头的平板三轮前分了手。

我会在某一篇小说里，把福哥化为一个角色吗？

不知道。

对于福哥，我知道得还太少。

福哥的妻子，是个独眼。坏掉的那只眼，没有安假眼，没安，是因为没法子安——因工伤而毁掉的，不仅是眼球，还有眼眶——坏眼就总用一方纱布胶布挡住，当她用那只孤独的好眼盯着我时，虽是满脸的和善，我却总觉得有一股冷气，她比福哥大好几岁，比我还大，而福哥比我要小四岁。

福哥的女儿已经初中毕业，目前正在公共汽车公司接受短训，很快就会在公共汽车上卖票。

迄今我对福哥最好的一个印象，是有一天傍晚，他和那两个雇工，一起在立交桥的人行道上放风筝，放的是一只传统的"沙雁"，放得很高很高，经再三指点，我仰起脖子寻觅了很久，才在暗下来的高空中，发现了一个很小很小的蚁点，正是那只"沙雁"，心中很是欣悦，福哥和他的两个雇工，在晚霞照映下，显得——他是格外魁梧，小伙子们是格外英俊；他们脸上，全放着光，显示出由衷的快乐与天然的和谐。

得便，我还要去福哥那里坐坐。

黑老曹

7月2日 星期六

一早接到老曹电话，他是让我给他们学校的 270 周年校庆题词。

5 月底在人大会堂搞关于《王蒙文集》和《刘心武文集》的活动时，我把老曹请去了，当时要招呼的人太多，只来得及跟他简单地接触了一下，他那时便"见缝插针"地跟我说：希望我一定给他们学校的校庆题词。

说实在的，如果不是老曹的面子，我是不会给他们题那个词的。

我和那所学校没关系。我既没在那所学校上过学，也没在那所学校教过书，我的孩子也没在那所中学上过学。它的校庆，跟我无关。老曹说，他们现在的校长是个雅人，已搜集了很多社会名流的题词……我也算"名流"吗？算不算我都无所谓，都不会因此而动心，可是老曹出面，这就不能拒绝了。

1961 年，那一年我才 19 岁，我到北京 13 中当了语文教员。第二年，1962 年的 8 月底，听说学校又分来了新教员，我路过为新教员准备的一间宿舍，不能抑制住心中的好奇，从玻璃窗朝屋里一望，那一望中，正好和屋里的新来者形成一个对视，那与我对视者，便是老曹。

记得老曹那时倚靠着光板床上未打开的行李卷，双眉呈八字，抽着一支烟，令我心中不禁评议说：好一个疲惫的人物。

老曹虽是新来后到的，却显得很老成，他年龄也确实比较大了，他是"调干"上的师范大学，所以不仅比我大，也比所有与他同届毕业分到13中的男女新同仁大，我们叫他老曹，并不牵强。

老曹个头比较矮，但身材自成比例，他并不强壮，但力气很大，记得那时带学生下乡拔麦子，他拔得又快又多，给稻捆"打腰儿"也很麻利，我怎么努力也赛不过他。后来知道他出身农村，从小什么农活都干过，所以他瘦而不弱，老曹皮肤黑，所以我带头叫他"黑老曹"，学校里喜欢他的人，后来也都这么叫他。

老曹为人很随和，在男教员的单身宿舍里，有时大家不免聊些荤故事，老曹似乎很喜欢这类话题，显得很坦率、通达，令当时还很浑噩的我，常常惊诧莫名。

老曹早就入了党，到13中后，先是政治教员，后来当了党支部副书记。

我那时政治上比较落后，同党员们关系不密切，和老曹似乎也并没单独在一起聊过什么。

我们单独聊天，倒还是"文革"中才有的，那时我一个人住一间屋，他有时来坐坐，我们从互相试探，到初吐疑惑，发展到说些对运动不理解的话，又发展到说些对"中央文革"特别是对江青不满乃至"恶攻"的话……到后来，我们都产生了一种感觉，那或者就是友谊吧。

"文革"前，我在报刊上发表过一些小文章，"文革"中因此受到一些冲击，特别是其中一篇关于京剧的文章，被指斥为"反江青"，使我几遭灭顶之灾，老曹是头一个私下里对我说"那算什么呀！"的人，并且在许多人"心里知道"我那"算不上什么问题"，行动上却疏远了我冷落了我时，老曹虽无力为我公开辩护，但他那若无其事地在公开场合招呼我给我以微笑甚至开个玩笑的做派，真给我壮了胆撑了腰，我能度过那些艰难岁月，老曹的友谊，是非常可贵的灵魂养料。

"文革"后期，我弄文学之心，"死灰复燃"，竟因此遭到学校中某些人比"文革"初期更猛烈的否定，我精神一度极为苦闷，那时老曹已当了"革委会"副主任，他挺身而出，支持我尝试写作，后又帮助我调到了当时的北京人民出版社，以摆脱在学校里那时也有相当地位的人物对我的挤对……

人生非梦。

我在 1977 年 11 月，在《人民文学》杂志上发表了《班主任》，从此走上文坛，前两天一家报纸的青年编辑小邱给我打来电话，问我看没看美国哈佛大学东亚研究中心编的那大部头的《剑桥中华人民共和国史》。我很奇怪，我为什么该去读它？小邱却激动地对我说："那里面，有整两个页码，写到你……"昨天我接到了小邱寄来的那两个 page 的复印件，是的，在这部正儿八经的"史书"里，确有两面说到我，并且全是好话，我特别喜欢的一句是："在运用短篇小说形式的技巧上，刘心武进展很快。"

我的这些成功，里面有着许许多多自身以外的因素，其中便有老曹在我最困难最惶惑最关键最紧急的时候的宝贵帮助。

可是成名后我却几乎没有再去见他。我只是每出一书必寄他一册。

1989 年秋天，13 中搞了个校庆，我去了，是冲着老曹去的，但到了那儿才知道，他在一年前就调到现在这所中学去了……我于是没再在 13 中里停留，我跑到他家去找他，他正好从学校回来吃饭，那情景，真是"惊呼热中肠"！

……今天一早接到老曹的电话，我心中顿时五味丛生。我说："题词，没问题，冲着你，我题……可是我更愿意跟你好好聊聊……你今晚有空吗？我们约个地方……"

我就把他约到了港澳中心。这家四星级饭店的自助餐不错。特别是厅堂布置得比较优雅，找个靠落地窗的座位，便于谈话。

老曹属于那样一种人：年轻时便显得老气，但真的老了，却还是"老样子"，因而并不"显老"，他头发还很茂盛，人胖了点，黑还是很黑。

"我还没吃过自助餐呢……"老曹环顾着厅堂，颇为感慨。

我们边吃边聊，他戒了烟，但我点来"扎啤"，他喝得很起劲。

我们回顾起"那时"的种种。

在北京 13 中，我待了 15 年，从 19 岁到 34 岁，那意味着我整个的青春岁月，其中包含对任何一个中国人都非同小可的"文革"全过程。正是在这一期间，我娶妻生子，努力使我的文学爱好，不成为一个彩虹般的梦，而成为一种包含苦涩，甚至在某些时刻竟颇觉狰狞的现实。

我对老曹说：你看我写出了这么一大堆东西，现在连八大卷文集都出了，可是除了在《班主任》等几个短东西里，我动用了一些那 15 年的生活积累外，我这整块的人生体验，还根本没连血带肉地端出来呢！

老曹笑说，你怎么写出那么八大块"纸砖"的？那天去人大会堂，去的净是大官、名流，还有大款、大腕，都是坐小轿车的，只有我一个人骑辆破自行车，骑车去倒也没啥，问题是出来的时候多了两套文集，好几十斤，又不大好往自行车上搁……可把我苦坏了！

老曹在中学干了一辈子。今年 60，该退休了。他说下学期便不再去。

在中学干，他虽"贵为"书记，却限于工作的性质，几乎没出过远差，因此别说没机会出国，就连广州、上海也没去过，他没坐过飞机，没坐过软卧……到港澳中心这类大饭店，也还是头一回……喝完"扎啤"，我要再点些饮料，他偏过头看饮料单上的价格，脸上是吃惊的表情……

我心里有三分对老曹的怜悯，三分对教师待遇低下的不平，一分卑劣的自我得意，一分随即而来的自我呵责，一分说不清道不明的惆怅与幽思……

老曹给我讲了些我离开学校后发生的事，他遭到某些人的嫉恨与排挤。那其中有的是"文革"中"一条战壕里的战友"，有的，曾在很重大的事情上，得到过他及时而宝贵的帮助。可是偏偏遭到了来自这些人的明枪暗箭。这是伤感情的事。

在这个世界上，一所中学是一个很小的天地，老曹更是一个芥豆般的"基层"人物，以这样的天地、人物是很难写出人们爱读的小说来的——尤其在这个不是强刺激不足以拨动人们神经的"商潮时期"。但于我来说，不是，或首先不是为寻找小说素材，才来和老曹相聚的。我听着他的叙说，只感到一粒米确就是一个大千世界，这世界人生是多么地丰富诡谲而又是多么地相似相通……

　　归结到最后，所面临的，无论是怎样的一个天地，怎样的一个个人，所出演的，都是人性的戏剧。

　　我们至今也都还在参加演出，以我们的一份人性。

　　以人性撞击人性，这便是人生，也该是一切艺术的源头与内容吧！

"杯赛"后的别样情怀

7 月 18 日　星期一

凌晨的世界杯决赛，看得令人气闷。

让人说什么好呢!

昨晚中央电视台的《12 演播室》节目,配合这"杯赛",录了个从足球赛中的"漏判"、"误判"、"错判"现象谈起,议论"公正"问题的节目。是午夜十一点播出的,收视率不知是否很高。

这回的"杯赛",中央电视台的每场转播都设直播式评议,另外还有《绿茵金辉》专题节目,他们都请我去参加,我都谢绝了,最后我同意到《12 演播室》当"特约嘉宾"。

他们之所以请我,盖出于 1985 年我发表过一篇《5·19 长镜头》。

其实我对足球并不内行,搞实打实的足球评议,非出丑露怯不可,《12 演播室》这个节目并不是足球比赛的专业性分析,而是"说开去",引入社会学领域,这个我不怕,加以邀请者一再动员,我便应约而去了。

节目是 7 月 3 号那个星期日下午去台里录的,头天晚上和故友老曹消磨得太晚,又因思绪浩淼,失眠,所以下午坐到水银灯下,眼睛不知不觉地时有猛睁猛眨的神经质动作,今天看剪出的录像,自己很感"触目惊心"。

同时"出演"的,有三位是熟人。北京大学的张颐武,写过评论我创作的文章,也到我家"神侃"过；北京社科院的郑也夫，亦曾到我家聊过天，他写过一本关于足球的专著，寄赠过我，我看了很是佩服；北京人民广播电台的梁言，他主持的《空中百花园》节目，请我去当过两回"嘉宾"，我们在节目中言谈极欢，很有共鸣与默契。另外三位不熟。但其中的刘东，是个洋博士，我在《读书》杂志上看到过他的文章，很感兴趣，这次因球而遇，也算有段"怪缘"了。

录制前有个插曲，搞节目的人，说是为了让观众看起来有兴致，所请到的文人们，一边坐三位，最好能交叉辩论起来……胖胖的刘东一听就急了，不仅满脸溅朱，而且摇晃起大脑袋，连说："那我退出、退出……"又激昂地说："我最反对'为辩论而辩论'了！电视上搞些什么分甲、乙方的辩论，居然把'要不要讲道德'作为题目……岂有此理！……尤其我们做学问的，绝不能出演'辩论游戏'！我早在前几年就对自己'约法三章'，头一条就是绝不卷入这种虚假的'学术争论'！……这个节目这样搞，我坚决退出！"

大家不及劝他，先都笑了，张颐武就对他说："你既然进入了这'大众传媒'，就得遵从这里的'游戏规则'……在这个领域里，取悦大众是一个很要紧的前提！不像搞学术，是面对小众而无须顾及大众的！"

有的跟上去说："既是学者，最贵冷静，你怎么这样感情用事？"

电视台的职业主持人张泽群也笑说："我们哪儿搞过'要不要讲道德'这样的题目呢？你也太夸张了！"

最后是大家揶揄地齐声说："老九不能走！"

……今天看我们录成的节目，大家的争论，一点也不勉强嘛，刘东在镜头前笑眯眯地侃侃而谈，哪儿有一点欲"拂袖而去"的痕迹？

我们的节目里已涉及了若干这次"杯赛"里的不公平事例，其实，我们录制时还不知道更多的"黑幕"，若干新的不公之事也还未发生……

昨天听远远说，电台的热线节目里，有人引用了国外的报道，说是国际足联实际上在每一个环节上都控制着比赛，一位国际足联官员在回答记者提问时说漏了嘴，说是保加利亚队淘汰了德国队，这是没阻止住的事，但一定不能让他们再胜了巴西！所以派出了法国裁判（保队在争出线权的比赛中打败了法国队，使法国队无法赴美亮相）……而最令我听了毛发皆竖的是，那国际足联的官员说：保加利亚才多少人？才来了多少球迷？保加利亚人没钱买 T 恤衫，没钱买纪念品！……

这是什么样的"话语"？！难怪赛义德的"东方主义"和"后殖民主义"那么激动人心！大国压小国，"主流文化"压"非主流文化"，富压穷，强压弱……还有"内压外"——国际足联现主席是巴西人阿维兰热，巴西队无论如何是"自己的队"，而保加利亚是"外人"！……

这世界，公平在哪里？

在表面"亮光光"的"公平竞赛"的"游戏规则"下面，有着多么黑暗龌龊的秽物！

在那天录的今天播的节目里，我最后以"嘉宾主持"身份总结说：我们都向往公平，我们在这次"杯赛"中看到了不公平现象，我们痛心……但没有绝对公平合理，并且操作起来绝对可靠、绝对不出纰漏的"游戏规则"，无论如何，有"游戏规则"总比没"游戏规则"好，我们能在观看"杯赛"的过程中，宣泄出我们对不公平不公正不公道的不满，这正说明"杯赛"具有很好的正面效应——通过这种宣泄，我们在今后的现实生活中，便有可能更扎实地，哪怕从一点一滴的小事情上，去为争取公平公正公道而作出更多也更有成效的努力，使人类各方面的"游戏规则"，都不断地得到改进……

我说的是真心话，是真心中乐观一面的话。

那悲观的一面呢？我没有说，也不能在那样的场合中说。

乐观，是对人性善抱有信心。

悲观，是对人性恶无可奈何。

又想到人性。最近我的思绪怎么绕来绕去，总还是落到这样沉甸甸的一个"筐"里？

我的人生不是梦，然而，人生非梦总难醒！

神秘的恭王府

7月20日 星期三

京都犹如一只硕大的玉盘。许许多多的名胜古迹，散布于各处，真可谓"大珠小珠落玉盘"。"大珠"，如天安门广场、故宫、天坛、北海……璀璨夺目，不必多说；可是京都的"小珠"，这是许多人所未必清楚的，一般的旅游团，其日程上也不作安排；其实，要真正入骨探髓地感受京都的文化积淀，到这些个"小珠"即"小风景"去徜徉一番，是非常必要的，也是赏心怡性的。

凡外面来的朋友，我总是尽量给他们介绍北京的"小珠"。

今天下午，我去皇冠假日饭店，与刘国瑞先生小聚。刘先生是台湾《联合报》的副社长、联经出版社社长。我们第一次晤面，是1991年，那回他带领一个很大的台湾出版界代表团，来广州举办台湾书展，同时还有《联合报》副刊的编辑，他们约请了若干大陆作家，在书展期间相见。第二次是今年1月份在台湾，我应邀参加《中国时报》人间副刊举办的"从40年代到90年代——两岸三边华文小说研讨会"期间。

头天家里人接到国瑞先生电话找我，唤我接电话时，说是"大概是个安徽人找你"，确实，国瑞先生的"国语"里，带有浓厚的安徽音。

到得皇冠假日饭店，见到国瑞先生，才知道他是和他太太来大陆私人度假。刘太看上去比他年轻许多。他们说已游览过若干北京著名的名胜古迹，我便问他们去没去过北京的一些"小风景",如恭王府花园、五塔寺、智化寺等等,他们竟茫然不知。

于是我便建议他们去恭王府花园一游。我领他们坐上出租车,只用了一刻钟左右便到了位于柳荫街的恭王府花园。

他们大吃一惊。

国瑞先生说,看了这里,台湾所有的花园都"无足观"了!

刘太直后悔,出门时没带上照相机,其实也不全是忘带,多半心里头原以为"小风景"嘛,留不留影都无所谓。

恭王府花园确实值得细细品味。

花园的正门,是中西合璧的风格。恭王奕䜣,是清末最早与西方文化碰撞的中国人之一,他内心里对西方文化的容纳度,究竟如何,有待考究。但整个恭王府花园,应当说基本上还是中国文化的结晶。有人说这座花园在乾隆时期已经存在,曹雪芹彼时很可能涉足过,《红楼梦》中大观园的构思描写,很带有这座花园的痕迹,我以为此说甚有道理。

一进花园正门,便有一座巨石赫然障目,这便是"独乐峰"。此"峰"两厢都是土山,"山"上小径曲折,怪石嶙峋,藤木蓊翳,循此"山"可迤迤逦逦绕园一周。我引国瑞伉俪往东登临了一小段,把一块长条石上的刻字指给他们看:"易曰:介于石,不终日,贞吉。"彼此不禁相对一笑。这是当年奕䜣对自己夹在"后党"与"帝党"之间,并且也夹在"中"与"外"之间,应付之苦与居然还"玩得转"的复杂心态的写照。

"山"西则有一段砌成"长城"的模样,有城门洞,进园时也可从此长驱直入,门洞上题曰"榆关"。我对国瑞先生说,这大概体现出了园主"不忘本"的意识——他们的祖先,毕竟是打破了山海关,才到中原来建立了王业的,所以,有时候园主会从这里雄赳赳地跨"关"入园,也算是重温灿梦。

园中有多处水域,园西的水池最大,池中有颇大的水阁,而所有水域,又由小渠连通,《红楼梦》中的大观园,也是如此——当然更大、更美。

园中的大小建筑群,全由长廊、抄手游廊、穿山游廊、上山坡廊等回环连缀。

最东面的建筑群由几个院落重叠构成，或垂花门里绿竹成丛，或月洞门内芭蕉抽叶，或廊前盆莲怒放，或檐下紫薇盛开……我们穿行其中，国瑞先生感叹不已，我对他说："倘若没有鸦片战争、甲午海战……由着这种文化自足地发展，今天中国的人文景观，又该如何呢？"

那是难以想象的。

我们一起进入了大戏台，这是一个室内的大戏台，复原为了当年的模样。所有的木柱、檐板、顶棚，全手绘着古藤绿叶紫花的图样……据我所知，这是目前北京仅存的一个复原保护起来的贵族室内大戏台。我对刘氏伉俪说："也许，这种《红楼梦》里所描写过的文化，是过分地灿烂，特别是过分地精致了，已达于'烂熟'的程度，所以，终于走到了其尽头……现在我们只能在北京的这种很特殊的地方，才能一睹其光华了，它已成为了一种'文物'，也就是'化石文化'了！现在你走在北京的大街上，扑进你眼里的，很可能都是些西式的高楼，还有麦当劳、肯德基快餐店，鳄鱼、苹果专营店等等西方商业文化的符号……唉，一部中国的近代史，该怎么说呢？"

当我们在相当于《红楼梦》中的"凹晶馆"前的平台上，坐在石桌边的石礅上歇息时，国瑞先生也不禁感慨系之地说："台湾还不是一样！到处是西方文化，特别是美国文化的斑斑痕迹！"他又说，他前些时在台湾电视中看了这边拍的电视连续剧《北洋水师》，竟浮想联翩起来……刘太一旁笑说："他原来是几乎不看任何肥皂剧的，这回真是个例外！"国瑞先生告诉我，他是安徽庐江人，指挥甲午海战的丁汝昌正是他们家乡所出的名人之一，且从祖上论，丁、刘两家还有姻亲关系；他说这部电视剧对丁汝昌以理解和肯定为基调，令他很能认同；甲午一役，淮军从此垮掉，中国从此窝囊到底，实令人百年后仍扼腕气结……

我们离开恭王府花园时，不知他两人如何，我心中竟颇恋恋不舍。

我虽定居北京，说实话，如无一定的机缘，也是很难真抬起脚往这座花园里迈的。

这是座神秘的花园。

在观月平台下面由太湖石砌成的山洞中，石壁上镶着一个福字碑，上面镌刻着康熙的玉玺印记，这是一桩非常奇怪的事，无论是伪造康熙御笔、错把伪造品奉为真品，都是死罪，而倘若那是真的御笔，又怎么能不置于大堂正室，或至少置于园中最显要的地位上，却胆大妄为地将其安放在一个阴暗的山洞里？这不也是死罪吗？为什么以谨慎著称的奕䜣对此却安之若素，不以为悖逆？又为什么无人告发？为什么竟听由那康熙御笔福字碑就那样一直地留在了那个古怪的位置，直到今天？

忽然又忆起，1992年冬，在瑞典斯德哥尔摩的郊区，盖玛雅家中——盖玛雅是一位汉学家——她丈夫是一位建筑学家，因而他们的藏书里有很大一部分是有关建筑艺术的书籍；我从他们的书架上，取下一本足有五寸厚的大书来，随意翻看着，那大概是一位德国人写的关于中国古代园林的书，在那本书里，我惊喜地发现，有一章是专门讲恭王府花园的，写书人考察这花园时，大约已在20年代，花园已废，水池枯涸，荆榛遍地，屋宇的瓦隙中都长出了小树，但从书上他拍出的照片看，这座花园依然充满了难喻的魅力……

一座花园的兴废，浓缩着许许多多的况味，不仅是历史、时代什么的。

一座花园的神秘性，昭示着我们许多的憬悟，也不仅是关于命运、气数什么的。

而类似恭王府花园这样的"小珠"，在京都中还留存着若干。除了上面提到的五塔寺、智化寺，还有比如法源寺、大钟寺、妙应寺白塔、天宁寺塔、钟鼓楼、德胜门箭楼、东便门城楼、建国门古观象台、汇通祠、文天祥祠、银锭桥等等，等等，它们是古都风情中不可或缺的构成因子，惟其有它们的依然存在，才显示出这个从历史的长巷中走出的大都会，有着不见衰落的文化韧性与多元整合的广阔前景。

对古都这玉盘中"大珠"的保护揄扬，已成为人们的共识，但若干"小珠"却不仅被轻视冷落，还面临着被拆除，以及粗暴地改造为"现代化娱乐场所"的威胁，这就必须大声呼吁：手下留情！对这泱泱古都的文化风情的维护欣赏，不仅应体现在对"大珠"上，也应落实在"小珠"上，尤其是已对"大珠"有所了解的人们，且将"小珠"细品味，便应设为"必修课"了！

天文思维

7月22日 星期五

连续两天，傍晚突起邪风。

都是正围桌吃饭，在并无先兆的情况下，强风说来就来，一下子将所有未关紧的窗扇劈啪开合，百叶窗或被凹吸到窗框上，或被掀飞于室内，两侧的窗帘更直飞起来，扫荡着所接触的东西，而天光陡然晦暗，骤雨接踵而至……耳里充盈着上面下面窗玻璃被砸碎的锐响，身体仿佛如临地震有晃动的感觉，心脏不由得加快跳动速度……大家都不由得放下碗筷，面面相觑，这是怎么啦？！

昨天的"风云突变"尤其惊心动魄——突降的大雨瓢泼而进，从过道一直漫进厅里，顿时将地毯一角淹湿；又听见哐当一声，待雨稍小打开过道门，但见一扇纱窗被掀了下来，并且将固定纱窗的一个螺丝扣也揪了下来，你说该有多大的风力！最令人心中本能地悚然的是，暴雨刷进来，竟把过道门正面所贴的两个门神，毫无保留地全刷掉了！那是我前两年从河南买回来的朱仙镇木刻，是"天成老店"用老棋子套色印制的，两位门神一是秦叔宝，一是尉迟恭，都十分威严猛厉，被我用胶带固定在那门上，为我家把了好长时间的门，确有秋毫无犯之效。谁知一场怪雨，顿时"灰飞烟灭"，毋乃凶兆乎？

两场邪风肆虐的后果，是楼下小花园中的几棵高树，被连根拔出；楼前一段往北的路，两旁的行道树，也几乎全被刮倒（奇怪的是当中偏有两株安然无恙——怪风的"破坏选择"循的是一个什么规律？）；后来我们在阳台上朝下眺望，才又看见护城河边有好粗的垂柳，也被掀倒，露出章鱼般的根须。

今年北京的气候，确实十分反常，不仅过早地奇热，而且是湿热！这种热法，原是广州等岭南地区的热法；北京电视台的"电视商场"节目里，今年竟推销起了"抽湿机"！往年是推销"加湿器"的啊！

像我们，不过是住在高楼上，邪风陡起，受受惊吓罢了，所损失的，无非是几个花盆，几扇玻璃窗，两幅门神……看电视新闻里的报道，京郊一些地方，已有屋塌田毁的事，而像广东、广西，那里有许多地方的水灾，大到了几十年不遇的地步，镜头里的滔滔浊波，已令人心紧气迫，那身处其中的灾民们，该是怎样的感受？

朋友 E 来电话，说起种种气候反常的情形，判断曰："这肯定跟彗星撞击木星有关系！"

能肯定吗？最近一个时期，电视、报纸都透明度很高地报道、解说了苏梅克－列维彗星碎片连续撞击木星一事，一方面下"安民告示"：这对地球不会有直接的影响；另一方面，为中国古代的那位忧天的杞人"平反"，敢情杞人不但不应予以嘲笑，还应尊为有天文预见的哲人。说是"没有直接影响"，那就是说，无法肯定绝无间接影响。既给古代杞人平反，则如 E 的惊惊乍乍，当不至于被批判为"危言耸听"，起码可聊备为一家之见吧！

本世纪初，1910 年吧，哈雷彗星掠过地球，曾引起过不小的骚动，欧洲一些国家的人，以为世界末日将到，或纵情享乐以求一快，或战战兢兢等待"末日审判"，或干脆自杀以求解脱……人类毕竟是老到多了，现在木星遭遇千载难有的大碰撞，而且有先进的射电望远镜将那情形拍摄下来，并及时在电视上放映周知，却不见有什么人惊慌失措。

"天象示警"，曾是古代人们的思维方式，某种怪异天象，引入政治领域，则常为颠覆者用来蛊惑人心；引入宗教领域，则常为教会用来震慑教徒；引入经济领域，则常引发出市场的紊乱；引入市俗生活，则常成为祸福的征兆……

这的确是人类社会长足的进步：这么千载少见的彗星撞击木星事件，而且那一连串的碎片陆续撞击了木星好多天，从电视上及时的报道可知，若干碎片对木星撞击的力度、烈度，都超过了原来所预计的程度，所引出的各种变化，巨大而复杂，但地球上的人们依然各自忙着自己的事，在这一期间所举行的世界杯足球赛，赛场上也好，无数的荧屏前也好，球迷们哪把彗木相撞搁在心上，眼里心里只有球星和皮球的相撞……世上行好事的不消说继续在行好，就是做坏事的，也绝不因此而收敛，甚至于迷信的人，也还在按什么麻衣相术照例地在那里掰算，全不把彗木相撞当做一大因素，考虑在内。

不过 E 却认为这种麻木，并非佳象。他在电话中说，他固然也反对因这类事而闹得街巷沸然，人心惶惶，但人若一点没有"天文思维"，心胸里只装着些"今天到哪里赚大钱？"或"今朝有酒今朝醉"的念头，惟市俗而弃超尘，"形而下"过剩，"形而上"匮乏，那也很可怕！

我告诉E，从报纸上看到，也有若干普通市民，跑到天文台或有天文望远镜的地方，饶有兴味地观察了彗木相撞的情景；他说："那当然是好事！不过，其中有些恐怕也只是看看热闹，就像时下中国的某些集邮迷，他们不可谓不迷，甚至是狂迷，但所关心的，大半是邮品的价位，真进入审美层次的，真是凤毛麟角！"

E 是否对世相估计得过分灰暗了？对人类是否太悲观了？

依我看来，要求世人皆有"天文思维"，恐怕是求之太苛了，这就像要求世人皆能把生活审美化一样，几无实现的可能。

E 是可爱的，我很理解他。他其实是爱这世界爱全人类的，深挚的爱转化为"此铁何不成钢"的恨，是人性之规律之一。

不仅是气候反常，如今这世界反常的现象实在太多，我们自己的思维、行为、感觉、情绪……不也时而反常吗？

要紧的是，不能失去信心：对世事，对人类，对自己这还在继续的人生……

在"罗马广场"喝咖啡

7 月 31 日 星期日

晓歌手术后一天天见好，虽还弱，却已可下楼走动。可是，再好的营养，再多的歇息，总待在"楼盒子"里，也不是个事儿。其实我也需要常下楼活动，否则成个窝在书桌前的"写虫儿"，亦非正常。

所以我们两人今天结伴外出，本想去久违的北海公园（我们二十几年前"私定终身"的地方），一出楼，热浪滚滚，扑面裹身，想来北海虽多一池湖水，或多少能稍减弱点热度，却也并非消暑佳地，于是灵机一动，打"的"去了天伦王朝饭店。

天伦王朝饭店在灯市口街南，与街北的皇冠假日饭店"相映成趣"。两年前，李黎从美国来，下榻天伦王朝，甫进房便给我来电话，约我去喝咖啡。我马上去了，她在大堂里笑吟吟地跟我说她的感受："刚到这饭店，饭店正门不当街，觉得黑乎乎的，进来，那前堂很小，也不起眼，可是乘滚梯上到三层，哇！真真是眼界大开，好大一个堂啊！……"

的确，天伦王朝的这个三楼大堂颇令人叹为观止，它的构造是：周遭全是楼体，当中绝无一根立柱，而上面覆盖着用钢架支撑的透明屋顶；周遭的楼体上，或是回环的走廊，或是面朝这大堂的方窗，四个角，一角是透明的观览电梯，另几角是逐渐回缩的圆形拱台；大堂的面积，约近 2500 平方米，据说是"亚洲第一大堂"，连日本、我国香港、新加坡、韩国、泰国的大饭店，亦未见有如此宏大的无立柱整体大堂；大堂中央设置了一个喷泉，一角是个罗马斗兽场的模型，一角是希腊神庙残柱的模型，所以也有人称这大堂为"罗马大堂"。大堂里自然摆放了若干大盆的绿色植物，如散尾葵之类，并错落有致地安排着许多雪白的坐席。

李黎的感叹，包含着这样的思绪：中国大陆的变化，真是越来越快，几天没来，再来时务请"刮目"！当然也不禁有点困惑：以中国大陆的国情，这样的星级大饭店林立，甚至动辄气派不让"第一世界"，搞出连周游过世界的旅客亦不禁瞠目的"亚洲第一堂"来，究竟必要性有多大？

我同晓歌奔这天伦王朝而来，却并非要对"大陆星级饭店应建多少为宜"或"有否竞相斗富争奇之必要"等问题作一"实地考察"，加入有关的争鸣。我们只是在这酷暑之时，觅一有中央空调的雅致场所，略事休憩而已。

进了大堂，顿感凉爽宜人，暑气全消，我们找了个大株散尾葵旁的坐席坐下，那坐席也靠近喷水池，池中水声潺潺，喷嘴中溢出的水呈密合圆帽状，晶亮悦目。

服务小姐来问我们点什么饮料，我们要了两杯 CAPPUCCINO，这种意大利咖啡加有起泡沫的热奶油，别有风味；又点了两牙洋蛋糕；于是慢慢享用起来。

大堂的咖啡座同时亦可用 108 元一客（外加服务费 15%）的美式自助餐，我们朝那边望去，吃餐的仅寥寥五六个人，加上我们这种喝饮料的，一共不到十个人。而今天是星期日，这饭店又位居市中心闹市区。

从大堂一隅响起了优美的乐音，那是几个显然具有专业水平的人在进行弦乐五重奏，两把小提琴，两把中提琴，一把大提琴，并有钢琴伴奏……所奏的曲目，几乎都极高雅，门德尔松的《春之声》，舒伯特的《鳟鱼》，阿炳的《二泉映月》，马思聪的《思乡曲》……

晓歌笑对我说："其实，他们这儿应该对你免费……"

我知道她因何而发此论。电视里刚刚播过根据我发表在《上海文学》上的短篇小说改编的同名电视剧：《天伦王朝》，电视剧的一大半情节发生在这个饭店里，根本就是在这大堂里拍的，形同为这家饭店做广告……

也真有朋友鼓动我跟这家饭店经理联系，取得在这里消费的某些优惠权。

可是，我不能这样做。我的性格也决定了我做不来这种事。我觉得这样自己来消费挺好。

这样的消费，是一般的工薪阶层所难以承担的吧。我们只不过各喝了杯咖啡、吃了牙蛋糕，结账时是 80 多元，如果吃他们的自助餐，那非突破 400 元不可。

这几年我出了十几本书，在报刊上最多时开过二十几个专栏。我的书都是由正儿八经的出版社出的，不要我买书号，不要我包销若干册，书出来全给稿费，稿费全按国家有关规定或我与出版社所订合同付给，有时稍高，但绝不离奇，并且随着稿费单，必有税单寄达，出版社代我从稿费中扣除应缴税额，使我成为守法的纳税公民，这样，我所得虽远不能与大款、大腕相比，也倒还堪称殷实，一家人可以过上小康的生活。

偶尔到天伦王朝一类地方消费一下，到赛特、燕莎购物中心等处买些穿的用的，在我来说，已可坦然承受，并颇有乐趣。

出门打"的"，下车时我不要司机开票。我到哪儿去报销呢？并无公务在身，找个"理由"寻个"单位"乃至求个"朋友"，报销一下"的费"，以及某些其他费用，在我来说也不是"毫无路子"，但"省"那些钱，我也富不到哪儿去，就像我这样地自己花钱小享受一下，我也穷不到哪儿去一样。

以前进入高级饭店吃餐，多半都是有公家或海外来客"买单"的应酬，自然其中也有饶富情趣的，但往往是人声嘈杂而不知其味，现在这种活动我往往采取不感兴趣则推的对策（有职务时那是难以推掉的），要去，就和家人或至好的朋友，闲闲而去，细细品味，自得其乐，悠哉游哉。

前两天一位《中国文化报》的记者对我电话采访，让我就所谓"高消费"一事发表意见，当时即兴讲了几句，现在，爽性归纳一下自己的思路：

＊"高消费"，要分清两个概念：是公费高消费，还是个人高消费？倘是因公消费，

那有若干很具体的规定，凡违反规定的，不管那消费是高还是低，当然都不对。

＊至于个人消费，只要他用以消费的钱钞是来路干净的合法收入，那么他如何消费应是他的私事。他如能承担高标准的消费，进行了高消费，不但于他人无碍，可能还对社会有益，因为生产高消费品的机构如无人消费他们的产品，岂不就要破产、倒闭？那里面的人，岂不就要失业？

＊当然，如果一个人有着超过他收入能力的消费欲望，过分地超前消费，弄得收支严重失衡，那当然不好；我们每个人都应适当控制自我的消费欲望，如果欲望与满足欲望的能力严重失衡，那可能派生出越来越严重的问题，从虚荣心暴涨，嫉富愧贫，到试图占便宜，到越过合法界限，去谋求非法收入，乃至一直坠入犯罪的泥坑……

＊借债消费对不对？我以为，一个人的消费欲望，可略高于他眼下的收入水平，因而，如具备偿还债务的信心，有时向可靠的贷款者规矩地借钱消费，亦属正常的消费行为。

＊那么，"勤俭持家"、"量入为出"、"积谷防饥"、"艰苦朴素"等等中华民族的美德，难道都过时了么？都并不过时，但都不应视为当代人消费的唯一美好方式，就像西洋歌剧和中国戏曲可以在一个舞台上演出一样，当代人既可以遵上述古训安排他的个人生活，也可以采取"能挣会花"、"适当借贷"、"不断扩收"、"享受舒适"等等符合当代经济运转机制的方式安排他的个人生活。

＊"文化人消费不起文化，对此你怎么看？"这是那位记者给我提出的最有趣的问题。我想造成这一现象的原因有二：一是对文化人的创造性劳动，其价值还未从付酬上充分地体现出来，实在是偏低，如教授的工资应更高些，作品的稿酬应再提升些；二是文化人本身你要努力创造，不断出新作品，不能光想着自己"相当于行政几级"，或仗着"老资格"、"旧名声"、"前贡献"，就老要社会宠着，你总不出新东西，得不着工资外的收入，当然买不起很多书，更买不起激光唱片一类的文化消费品了！

今天竟忽然对消费问题想出了这么多话来。

不管怎么说，想到我现在所挣的每一分钱，都是干干净净的；又想到自己所花的每一分钱，都是清清爽爽不占公家和他人便宜的，心中很是坦然。

当然有人比我过得好得多，但那是他的事，就我自己而言，诚实写作，快乐生活，家庭和睦，不该不欠，此即幸福！

不年轻的话

8月1日 星期一

我已经不再年轻。我生命的琴弦，还在颤动，可是，我的琴弦，还能与青春的琴弦，引出共鸣来吗？

《中国青年》杂志编辑向我约稿，说他们将开辟一个"名家随笔"专栏，让我来写打头的一篇。

16年前，我在《中国青年》杂志上发表了短篇小说《醒来吧，弟弟》，引起过轰动，我的成名，这本杂志也很起了推波助澜的作用。可是，名是什么？"名家"又怎么样？翻看着编辑寄来的近期刊物，那上面的若干文章，相当精彩，跳动着最新近的社会生活脉搏，引发出很多只有这个时期的青年人才有的感慨憬悟，从署名上看，都非名家手笔；我虽忝列"名家"行列，却不禁自问：我写出的字里行间，能这样勃勃有生气吗？如果不能，那么，我能为现在的年轻人，奉献些什么呢？

记得16年前，我写讫《醒来吧，弟弟》后，当时同许多北京市的业余作者一起，正参加北京市文联粉碎"四人帮"后的第一次大型会议，当时是住在工人体育馆里，在休会的时候，我把几个当时的朋友，约到工人体育馆绿地一隅，一字一句地把这篇小说念给了他们，当时，他们都很激动，那个时候，大家对小说的看法，大体都是那样——能够直面人生、闯入题材禁区、表达一个大胆的看法、人物塑造有些新意、细节设置比较新颖、语言流畅自然，就算成功之作了……往事如烟，聚散成梦，当年围在一起听我读小说的人，现在早各自有了自己的小说观，就连我也不复当年，回头再看这篇东西，恍若面对童年旧照，不禁摇头叹息：难道这是我写的么？……

那时候，《中国青年》杂志的总编辑是关志豪，据说他在审读这篇小说时，忍不住把他激赏的段落读出声来……现他已离休，这悠悠往事，怕早已忘怀……

小说刊出后，当时的民间油印刊物《今天》上，很快登出了一篇嘘它的文章《醒来吧，刘心武》，鲜明地体现出当时就存在的，对现实和艺术的两种不同的坐标取向，这篇文章后来经修改在《读书》杂志上公开发表了出来，题目换了，内容也变得较为含混，在当时对我小说的一片叫好声中，是一个刺耳的倒彩。对于我来说，这是难得的鞭策。我此后得以不断在基于我的良知与悟性的前提下，调整我的坐标系，以使我这个"哥哥"，不至于被一茬茬的"弟弟"甩下时代的列车……

但面对着 1994 年的《中国青年》读者，我现在恐怕已不是"哥哥"而是"叔叔"了。"功成名就"对我来说只是个枷锁，我想，最好我能"从零开始"，也就是说，"童言无忌"般地直抒心臆。

这真是个"怪圈"——我越坦诚，越想"无忌"，我所说出的，就越是我这个年纪才说得出的话。我的话已无法"年轻"，更不可能"童言"般宁馨。

我想说些什么？我这个"翻过几个筋斗的人"……

我要说——

年轻的朋友啊，你生命琴弦的震颤，是不是太激越了？我也曾这样地震颤过，有的弦，在激进的思想与激烈的行动交织而成的旋律中，终于崩断。现在我憬悟，人生有时实在也需要一定的保守，那就是说，无论如何，我们不能无视传统，传统当然一定会包含着若干甚至是许多过时的、霉变的、腐朽的糟粕，成为青春活泼的生命跃动的障碍、累赘、毒雾，为此我们有充分的理由反传统，改造传统，但我们每一个人，特别是每一个群体，又尤其是每一个民族，都不可避免地是传统的产物，我们到头来是不可能将自己从传统中连根拔出的，更不可能使自己彻底地变化融合到另一种传统中去（那另一种传统是否能彻底地容纳你，也还是一个问题）；因之，实事求是地面对自己身在的传统，从中发现、开掘、光大其精华，并认认真真、高高兴兴地加以继承、丰富、发展，就该是我们人生的使命之一了！同样地，我们无论如何不能割断历史，历史是很具体的东西，它首先就是我们的祖辈、父辈所做过的事，好事和坏事，得与失，功与过，产生出及于我们的祸与福；年轻的生命，往往不可避免地要趾高气扬、毫不留情地审议褒贬父辈的所为，而在这一过程中，又往往"攻其一点，不顾其余"，或全然不考虑彼时彼况，结果引发出激烈的、有时是极伤感情的代间冲突，这样的冲突是不可能也不应该企望从他民族中找到"仲裁"、补偿与慰藉的；因之，到头来，我们必须承认并尊重父辈，我们说到底是他们的传人，而不可能嫁接到另外的血统上，成为别的民族的子孙（人家多半也不要）。这就是说，在我们以青春的勃勃英气体现出激进的批判、革新精神时，我们切记不要崩断了生命的琴弦，我们无妨留下几分"保守"——保住我们传统中的精华，守住我们代间衔接延续的链环！

年轻的朋友啊，我想我们都感觉到了，我们这个民族，正处于一个惊心动魄的大转型期中，在这个以改革开放命名的时代里，"保守"是一个被否定的词汇，尤其是年轻人，言保守而必脸红，反保守而成习惯，可是今天我在这里却正面地说及保守，你一定感到诧异了吧？

当然，我所说的保守，和某些人对改革开放，对以经济建设为中心的方针想不通，怀念以阶级斗争为纲的时代，那种保守，是两回事。我们现在所说的是社会学范畴的问题，是我们如何处世待人的问题。

前些天一个大学毕业生，拿出他那精美的留言册对我说："您给我写些对我走向生活有实际用处的箴言吧！"我便一口气为他写下了这些话——

你不但要学会抗争，更应学会妥协。

你不但应向往崇高，更应适应平凡。

你不但应扎扎实实地搞事业，也应扎扎实实地过日子——包括娶妻生子、养家糊口。

你可以嫉大恶如仇，但无妨一定程度地容忍小恶。

你可以高雅自命，但应能心平气和地与世俗为邻。

你应珍视你直爽的性格，但你同时应学会与不喜欢直爽的人相处。

你当然知道"什么是真正的爱情"，但你更应该知道"爱情不是真正的什么"。

你不要再幻想什么"永恒的爱人"，请退而去求得"终生的伴侣"（其实已属不易），或者更实际地去求得能真正"相伴一程"的"配偶"。

你当然应珍惜友谊，但你万不可依赖朋友，哪怕是"最好的"。

你想发财，这很自然，但即使是"合法的暴发"，对你来说也很可能是灾难。

人需财几何？绝非"多多益善"。能过上小康的、雅致的生活，应称福境。

少看或不看那些吹捧富人的文字，尤其是那些先讲其人惨状后描其人辉煌的文字（那样的文章对其"发迹"的具体手段与过程多半"语焉不详"）。

对这一类的"古训"宜取审美的态度对待，而万不要引为"人间指南"："天生我材必有用"，"千金散尽还复来"，"海内存知己，天涯若比邻"，"踏破铁鞋无觅处，得来全不费工夫"……

……

来求我题赠的这位大学毕业生，看了我题下的这些箴言后很是吃惊，他扬起眉毛问：你怎么会变成了这样？！我们年轻人一向把你看做激进的改革派……

无独有偶，一位很新潮的"文学青年"，且是女士，来找我讨论一个起码在我们这里还是很"前卫"的问题："怎样看待文学中的性描写？"我们讨论得很热闹，也很坦率，我说，性作为人的生命存在之必然，当然应是文学表现的一个内容，但——把凡是写性的文学作品都奉为"先锋之作"（在一些人眼里更是"进步之作"），这起码是幼稚可笑；

文学可以表现性，更可以不表现性；

文学表现性，应不是"为性而性"；文学表现性不应流于色情，什么是色情？我以为直接描写性器官和具体描写性行为的文字便属色情；劳伦斯小说里的某些描写也是色情吗？YES！我认为是！"人家那可是得到高度评价的世界名著"，我也知道，我们的《金瓶梅》应得到更高的评价，但它们并不是因为其色情描写而获得了高评价，恰恰是因为它们绝不仅仅有色情描写，而具备了其他的可贵素质，所以才获得了高评价；对于这样的文学作品，我主张有限制地销售，明确"未成年人不宜"的"游戏规则"……

那位文学女青年听了我的观点，不禁也说：哎呀，我没想到，你在性这个问题上如此保守！

是的，我不但不能满足你们年轻人一味索求的激进与新潮，而且还很乐于承认我目前的此种保守——不加引号的保守，比如说性，固然每一个人有"天赋人权"，只要不是强迫诱骗与金钱交易，跟谁性交基本是性交双方的私事，但我还是要奉劝每一个年轻人：请珍惜你个人的童贞！你在何时何地将你的童贞奉献于何人，这是你这独一无二的个体生命最神圣的一桩事，而且在别的事上，失败了或者尚能"重来"，此事却绝对再无"二次机会"，故而请务必保守一点，切切不要轻率"突破"！

年轻的朋友，在你正式踏入生活的门槛后，面对着诡谲莫测的现实与透明度不足的人生前景，我今天不再煽动你激昂火暴的青春心焰（那诚然瑰丽珍贵），我认认真真地，也许是过于冷峻地向你提出了"人生有时无妨保守点"的忠告。

我真的不知道我还能不能拨动你心上的琴弦，也许我真是走向老境了，从生理到心理，我如今不再一味地以激进为美，不再担心如果我不紧跟最激进的潮流我就会落伍、失利，我不避讳保守，只要良心告诉我，什么是不应彻底砸烂、彻底掀翻的，我就绝不随激流而去"先砸了掀了再说"，我将冷静地旁观，独立地思考，谨慎地投入，固执地站位，真诚地坚持，竭诚地奉献。

今天我心上的琴弦在这样地瑟瑟鸣响，我并不企盼你那年轻的琴弦与我共鸣，但，我感谢你哪怕是极潦草地用眼睛"听了一听"……

——我就把这些话都写给《中国青年》杂志吧。

和当年投去《醒来吧，弟弟》时并不一样，对杂志社是否能容纳我这样的文字，我现在很不自信。

这种不自信，在我来说，是好事。

"名人"常被自信所误。把"名"看虚些，定能少误人，也少误己。

秦 学

8月3日 星期三

前些天曾给汝昌先生一信，抄录如下：

汝昌前辈：

　　溽暑中身体可好？念念！

　　拙著《秦可卿之死》已出，华艺出版社告已将若干本样书给您寄去，并汇去了稿酬1000元（包括书名题签的报酬），想已都收到？此书出得快，版式也还好，但错字不少，目录中便有明显的错字，您的两首诗中也有错，末页最后一行将"曹雪芹友人张宜泉"错成"曹雪芹有张宜泉"，令读者"不知所云"！

　　书籍中文字排错，原来叫"手民之误"，现"手民"这行当已快消亡，"电脑照排"大行其道，"照排"优点虽多，但若干"照民"（即"电脑照排操作员"）文化水平可疑，他们大约对麦当劳、麦当娜（前为美式快餐店，后为美国性感歌星）还熟悉，对曹雪芹、秦可卿就梦梦然了，再加上责任心问题（有的错误在校样中已经改正，但拿到他们那里后，却"依然故我"——懒得改也），所以现在真是"无错不成书"！我们所处的文化环境就是这样，也只好用"书能出来就好"的话安慰自己，叹叹！

　　我对所谓"秦学"（这是朋友的讥称）兴趣不减，最近又写成几篇，现寄上一篇关于元春为何见不得"玉"字的，供您溽暑中破闷。当然，仍希望您能不吝赐教！

即颂

暑祺！

晚辈刘心武

拜

1994 年 7 月 29 日

今天接到汝昌先生回信，亦抄录于下：

心武学友：

　　得札欣诵。赐书及稿酬已及时收领。真是无功而受禄，令我滋愧也。我接书后见面貌可喜，心正悦之，尚未及复阅。你论"无错不成书"是极可作为一"杂文"发表。又有新作可否续寄？容一一读之。

汝昌

8 月 2 日

　　该信在笺眉上又补写了几句："因热甚，又有客至，故草草。我很好的，谢念我。只是太忙了，无休息。"

　　算起来，自1991年春天，与周汝昌先生通信，去来怎么也有一二十封了，在我对《红楼梦》的艺术魅力与秦可卿这一艺术形象的研究中，周先生给予我的指导、启发与鼓励实在至为宝贵。

其实，我与周先生至今只见过一面，而且要不是《团结报》韩宗燕女士促成，我们很可能还仅是文字交。那回在周先生家中，谈得很是投机，当时我说《红楼梦》里的那个"张太医"张友士，一他并非"太医"（连专业医生也不是），二他那名字"友士"应系"有事"的谐音，他的真实身份，应是秦可卿在江南的家族派进京来的间谍……周先生连连点头拊掌，巩固了我的思路，我在"秦学"上的开掘，此后才又有了更多的信心。

那回在周先生家里，也没注意他家有没有电话，当然更没问及电话号码，我在给周先生的信里，也从未提及我家的电话号码，我想周先生家多半是有电话的，而且，他也不至于以为我家无电话，但我们之间显然有一种默契：不通电话，只笔谈。我想，这说明我们两人的性格有某种相似之处。

蒙兄的《红楼启示录》出来后，立即寄给了周先生，却迄无回应。严文井老就住在周先生楼后，他们有时对面相逢，据文井老说，周却不招呼。前事，或可解释为周先生对蒙兄大作不以为然；后事，或可解释为周先生目弱（据说一目近盲，一目阅书报必得用放大镜一字字过滤）；我却总觉得内里的缘由，还是性格使然——周先生是文化部所属的艺术研究院的研究员，又曾在人民文学出版社古典部当过编辑，蒙、井均曾是其"最高上司"也。这绝不是高傲或清高或腼腆或矫情，这是一种本分人老实人学究书虫的为人方式，我在处事中亦秉此种心理，我能理解。

这几天弄"秦学"的兴致竟又浓酽起来，溽热中草成三篇文章。《元春为什么见不得"玉"字？》，破解了省亲一回中，元春将"红香绿玉"改为"怡红快绿"的心理动机：因为秦可卿"来时本姓秦，未嫁先名玉"（此系南北朝时梁朝刘瑗的诗句，《玉台新咏》有收，另脂砚斋评语里亦引用了），元春是向皇帝自首贾家藏匿秦可卿的政治人物，省亲时秦可卿已"画梁春尽落香尘"，且正因为如此元春才晋封为妃，因此她一见"绿玉"字样便心生不悦。《关于冯紫英的侠文》则分析了二十六、二十八回中有关冯紫英的文字，认为他实际上是"铁网山"、"江南秦"等反"当今"的政治势力埋伏在京中的人物，已佚的后半部书中，他一定会有更"义侠"的表现。《〈红楼梦〉中的皇帝》则通过对书中若隐若现的"当今"的分析，进一步指出在表层的文本下面，《红楼梦》还有着一个深层的文本，两个文本交织出了一个复杂的艺术世界，并反映着曹雪芹痛苦而矛盾的创作心理。

后两篇文章，拟即打印出来，一并寄周先生指教。

在《红楼梦》这巍峨瑰奇的艺术宫殿里翱翔，是多么惬意啊！

观故宫藏照

8月5日　星期五

外出办事，路过"五四书店"，进去逛逛，本不拟买书，但忽见一本大16开的厚书《故宫珍藏人物照片荟萃》，请售货员拿过来，一翻便爱不释手，虽定价180元，仍毫不犹豫地买下了。

该书主编之一为刘北汜。说来有缘，33年前，刘先生在当时《大公报》编副刊时，我向那副刊投稿，小作曾被他发表过；18年前，"文革"末尾，当时我借调到北京人民出版社当编辑，所联系的作者之一，便是北汜先生——"文革"中《大公报》被封了门（"文革"后亦未恢复，现大陆无此报，只香港有《大公报》）——他当时经过一番大折腾，"落实政策"到了宣武区的一个"日用杂品门市部"，因为知道他40年代写过不少小说，所以我们找到他，希望他重新拿起笔来，他那时表示，可以考虑，也许通过在"日杂"一行的生活体验，能写成个关于那一行甘苦的长篇小说来；约稿后，我便担任了他的责任编辑。当时，我内心里不禁有种不能公开的情绪涌动，又听说我所心仪的小说家林斤澜，是分到了一处电影院卖电影票，如此"落实政策"，岂非荒诞！当然，后来我弄清了，林大哥并未真卖过电影票，刘先生也并未在那"日杂"门市部卖过扫帚簸箕，他们只是被"分配"到那儿，去那儿领一份工资（那儿的"头头"也不知该拿他们怎么办，就都让他们且"歇病假"）——但这也还是滑稽……

后来我们大家的境遇都越来越正常。刘北汜先生没写成那"日杂"题材的小说，到了故宫博物院，主持《紫禁城》杂志，发挥出他那学者型作家的优势，编出了不少既有资料性又有文艺性的图书，这《故宫珍藏人物照片荟萃》即为其一。

这本"荟萃"共收珍贵照片535幅，其中收得最多的是慈禧、溥仪和婉容的，奇怪的是光绪皇帝一幅也无。光绪当然拍过照片，在别的印刷品中我见过，很清秀的模样。这本书的前提是"故宫珍藏"，可见有关光绪皇帝的，现故宫里竟一幅无存了（连多人合影的亦无），这是怎么形成的？颇觉诧异。但书中最老的一张照片，却是珍妃的，珍妃1900年被迫投井，因此这应是上一世纪的遗物。从所存照片看，隆裕皇后年轻时就不好看，瑾妃更难看，只有珍妃似还有几分姿色——但也绝非后来电影《清宫秘史》里周璇扮出来的那么艳丽。清亡后"逊帝"的后妃，婉容确实堪称美人，文绣就显然相貌平庸，想起贝托鲁奇的《末代皇帝》，里面邬君梅扮演的那个文绣，显然从相貌风姿上都大大拔高了。这本书里有许多清宫太监的单人照（有的似是用来贴在档案上的），作为一个当代的正常人，与这些已作古的阉奴们照片上的目光相对，真有悚然之感。在所有的照片里，拍得最认真，保存得最好的是慈禧的单人照，没想到她对拍照如此有兴趣，其中一幅是她做出一手簪花一手持镜自顾的姿态，极富表演性质，把所谓历史责任、政治评价、道德裁判都从她身上剥离下来，我们所看到的是一个竭力想把岁月挽住并及时行乐的颇有情趣的女性，体现出从古至今不分种族不分地域男女皆备的一种人性之挣扎。

北汜先生他们在前言、后记里说，他们编印这本书，也是意在为文史学界、戏剧电影界提供有关晚清与民国的服饰、装扮、建筑、摆设等方面的资料。这诚然是宝贵的资料，不过，我现在越来越感觉到，在某个逝去的时空中存在过的人与物，在文学作品与戏剧影视里，都是无论如何不可"真实再现"的，纵使你有最充分的资料，遵循最严格的现实主义、历史主义的创作原则，到头来，文学艺术家所提供的，还是现在这个时空里的一个梦境般的想象，而读者、观众所感觉到的，就更可能是离彼时彼空遥遥远远的另一种东西——当然，也许那是好东西，但已不复是逝去的那些东西。

但旧照片的厉害之处就在于，它把那个时空中某个个体生命的瞬间，化为了一种似乎可以超越岁月和世事流逝嬗衍的"高保真"。我常常爱看旧照片甚于爱看历史小说、回忆录与历史题材的戏剧影视，就是这个道理。

翻看着这本"荟萃"，产生出一个不无沉重感的想法：这些个体生命，实在都是时间与空间所捕获的人质！

到头来，我们这生命，只能一次性地属于一段时间，并一次性地属于一个种族、一种文化根源，这里实实在在地有着"宿命"，无可逃逸，但人生的意义，正在于努力地超越，使自己这有限度有限制的生命，得以在有限的时空中，承继身后传统，开创身前新境，获得最大的张力，从而融会于永恒之中！

抱石头的孩子

8月8日　星期一

今天在街上遇到 G 君。立谈数分钟。其间他问我："……到处看见你的文章，你究竟开了多少个专栏啊？又说你短、中、长篇的小说都还在写……你干吗把自己弄得这么苦啊！"

苦吗？我笑了笑。当时随便同 G 君聊了几句，也就分手。

现在静下来一个人细细咀嚼 G 君的提问，心中有酽酽的滋味，不过，确实并不苦，当然，也非纯然的甜，是带酸涩的蜜味吧！

忽然忆及小的时候，大约上到小学五六年级吧，那时母亲对我的阅读爱好，真是不吝投资，我订阅了好几种刊物，如《儿童时代》、《少年文艺》、《连环画报》等等，有一回就在《连环画报》上看到了一个题为《抱石头的孩子》的故事，在该期刊物上，那是一个次要节目，16 开的杂志，大概只占到一面，"连环"在一起的图画，顶多六幅，是单色的线画；其内容是说，刮起了很大的风，学校老师望着教室外面，发愁，因为这样大的风，孩子们都会被吹倒的，他很担心……风越来越大，他想今天不会有孩子来了，可是，忽然，他看见一个圆滚滚的黑影，艰难而奋力地移进了校门，并朝教室而来，他忙迎出去，定睛一看，才看清是一个孩子，双手抱着一块硕大的石头，迎风而进，不误时间地上课……事过 40 年，今天回想起来，那刊物上抱大石头的孩子形象，居然还栩栩跃动于眼前！

这个故事的原作者是谁？连环画又系何人所绘？在我，都无从考稽。但我深深地感谢他们，在我的少年时代，给了我有益的滋养。

迎风抱石，通过加重自身的负担，使自己不改应有的方向，不"随风而去"，艰毅地前行，这不是痛苦，而是一种睿智，一种快乐，一种胜利，一种幸福。

这些年来，我便是那样一个"抱石头的孩子"。

"开那么多的专栏，有必要吗？"必要性是因人而异的。倘是"好风频借力，送我上青云"，那种处境中的人，他自然不必"抱石头"，甚至连"娃娃"也不抱，开什么专栏？写什么文章？凭借官位、头衔、资格、公费，名字便可时时见报于种种关于"活动"的报道中，天天可以车接车送，三天一小宴，十天一大宴，当然全是公家"买单"，还可以不断地"下去""调研"，心安理得地接受"下面"的种种高规格"接待"，甚而可以自己"公派"自己出国，并且因为所联系的"对方"并无能力承担机票等费用，便动用公家外汇，"玉成""对方"的"美意"……我非此种境域中人，在我，联系读者的方式，只能是"硬碰硬"——发表出新的文章，并且面对着某些人欲将我抹杀的恶意，我也必须既有质也有量地"用作品说话"，来凸现我这一社会存在，并获得公众认可的难以撼动的价值，而且，我也必须多挣一些稿费，以完全自费的方式保持一种有尊严的雅致生活，因之，我没有取"顺风"的姿态，而是抉择了"迎风抱石"的方式，一步步地在"重负"中迈向真、善、美的课堂，去与那等待着我的"教师"会合，心中不仅无悔，还充盈着莫名的喜悦！

儿子上班去

8月9日 星期二

远远上班已逾一周。

每天回家，就喊累。饭桌上，不停地讲述一天的经历见闻。听起来，心情尚在摇荡中。

他到这家五星级饭店工程部，参与中央空调系统的监管修理，与他大学里所学专业，是相符的。但他当初之所以选择了这一单位，还是有图一个较舒适的工作环境与较丰收入的动机。我对儿子向不苛求。这个世界，只能由他自己投入，自己体验，自己应付。喜欢工作环境舒适一点，挣钱多一点，虽非佳志，却也未悖情理，故听任之。

仅一周，他便感到：一、人们对学生，与对一"同事"，眼光、态度，大有不同；在学校当学生时，并未充分体验到社会对学生的那种"约定俗成"的宽容，有时甚至麻木不仁，现在"学生时代"已如逝水般在不知不觉中流去，顾后瞻前，方痛惜以往，而惶惶于将来，宁不惆怅！二、所谓工作环境之优劣，原来所考虑的，只不过是"非人因素"，如建筑是否高档，内里是否"现代"，有否四季如一的"恒温"，值班处是否整洁，卫生设备是否齐全……以及免费供应的两餐是否洁净可口，福利待遇是否较多较高，等等；现在身处其中，才懂得所谓"环境"的第一要素，乃活人也，而尤其是"人际关系"也，而这"人际关系"，才一周时间，已感颇如蛛网般复杂；自己刚去，不消说是愿与所有人友善的，但已有若干或引其"合纵"，或招之"连横"的暗示，顿感"吃不消"，而这"为人处事"的"宴飨"，其实才上了"小菜几碟"……今后，确是每走一步，都需"好自为之"了！

但远远甫上班，便很自觉地随师傅去干相对苦一点的活儿，如修理冷库中之制冷设备，为即将开张的比萨饼快餐部安装单设空调机等等，他说："师傅们都很有实践经验，跟他们'滚'一段，我就能把一个大饭店的制冷系统是怎么回事，摸清楚了！"又讲了所跟从的师傅如何手巧，对突发故障如何有应变能力，我听来，甚悦耳；但他又说，虽仅几天，已目睹了在饭店中长期包租豪华客房的阔人，如何地排场，如何地挥金如土而又仪态万方……言下，既艳羡，又不服；既嫉妒，又垂涎；既鄙夷，又慨叹："我哪天也能如此！"我听了，顿觉逆耳，不免教训他说："人的价值，并不体现在这些上；人生的价值，更不能以此衡量！"他便与我龃龉起来，竟至于咕哝说："我反正不打算像你这么样，过这么一种生活就满足了！……那些人都有自己的豪华车，我以后就是豪华不上奔驰、卡迪拉克，至少也得混辆奥迪、桑塔纳吧！"我便讽刺说："光有辆小轿车算什么？总还得有座带花园的别墅吧！"他竟并不以为这话带刺，点头说："对啦！那才叫正常的生活！"

仔细想来，远远的向往与追求，虽非高尚，却也未必错误。不禁叹息，他虽是我与其母创作出的一个生命，而他这生命的"艺术化"，也只好由他自己去完成了。我们作为两代人，对人生的"审美追求"，已开始分化。

但夜深人静时，我敲电脑累了，起来冲茶喝时，见他屋尚有台灯光，不禁走到门外窥视，他竟还未睡，是躺在床上，看一本大学时的教材，关于制冷技术的……我蹑手蹑脚走回自己书房，心中又不禁喟叹：显然他是到了工作岗位上，才痛感在校时没真把那些理论弄通，所以不惜黉夜"恶补"啊！……好呀，他能将学校教的理论，与大饭店庞大的空调系统的实际在实践中结合起来，旷日持久，不怕他不成为一个配置大人造气候系统的专家！那时，他凭借自己的真本事，购豪华车，置别墅房，也真是一种"正常的生活"吧？

　　毕竟，我们这一代的生活，已过半；而儿子一辈的生活，才刚刚"正式开始"……

　　静夜里，我暂息了对儿子"不肖"的愠怨，而默默地为他祝福。

林大哥的三句格言

8月12日 星期五

今天细翻《随笔》第四期，封二上是陈振国画的林斤澜像，说实在的，不怎么像；画像下有林大哥的话："这山望着那山高，望山跑死马，山不转路转，我以为都是人生格言。"这话我读着如闻其声。

1978年，那时我在北京人民出版社（今北京出版社）参加《十月》的编辑工作，如今《十月》是个知名度很高的文艺刊物，有人封了四种大型文艺刊物"四大名旦"的称谓，《十月》列于其中（另三种是《收获》、《当代》、《花城》；这话茬大约出在十多年前，其实后来居上者很多，如《钟山》、《小说界》，这些年势头甚健，新创办的又有《大家》等）。记得《十月》创办于1978年10月，当时正值"文革"后的荒芜期，全国尚无大型的文学刊物恢复出版或新创刊，《十月》的赫然出现，令文学界和广大读者无比兴奋；但由于当时尚无刊号，头几期都是作为"十月丛书"出的，各辑厚薄不一。创刊号的《十月》封面十分漂亮，我以为就是搁在今天，与任何刊物的封面装帧相比，都不会逊色，它在乳白的底子上，凸印出银白色的盛开梅枝，"十月"两个字用鲜红叠印，显得既华贵又雅致；"十月"这两个字墨笔书法最难处理，而所采用的书法，非政要手笔，出自很有修养却无爆响盛名的行家，写得间架得宜，丰腴厚重，至今这题名，仍在刊用；发刊辞把为何以"十月"命名阐述得很通透，出自当时我们文艺编辑室主任王世敏之手，他后来去中国新闻社搞行政工作，此事逐渐不为人所知……

《十月》办起来了，稿源便需丰富，我当时分工管小说稿，于是除了向当时颇活跃的一些作者约稿，也产生了"寻觅老手"的想法，当时我也算是青年编辑，思想比较解放，做法也比较大胆，虽然那时王蒙、从维熙等1957年的错划都还未予改正，编辑部内外也都有人劝我采取"一慢二看三通过"的态度，"不要急着找他们"，我却认定"是公民就可以去跟他们约稿"，因此力主要把这些多年不露的小说能手都发动起来，拿到他们在崭新的历史时期的崭新作品，以光《十月》版面，以飨《十月》读者；编辑部中与我共鸣者甚众，领导也同意，于是我便去找了刚从新疆回来暂住招待所的王蒙、刚从山西回来与母亲儿子共睡一床的从维熙（头一回去他恰好折回山西办手续去了）和别的几位；我"文革"前就很注意林斤澜的小说，因此也提出来一定要找到他，拿到他的稿子，当时北京市文联也还没有给他落实完政策，那我们不管，我们希望立刻拿到他的小说，立刻发表；头一回找他，是我的同事，一位比我更年轻的女士去的，她回来后很是兴奋，兴奋的原因之一，是她发现林斤澜正在写作——坐在一个小板凳上，用一把旧木椅当桌子，林斤澜听说约稿，答应写完给我们看看；之二，是她发现林斤澜"远看像赵丹，近看像孙道临"，也就是说，居然是个美男子；听她这么一说，我很快就自己跑到林斤澜家去，一为取稿，一为亲睹风采。谁知这一去，迤迤逦逦16年过来了，我对林斤澜，大哥相称，不敢说算得他的一位好友（好友需全方位地交往），忝列于他的文友之列，庶几不致被他所否认吧！

在我心目中，林斤澜与俄国的契诃夫很相似，他不写长东西，专擅短篇小说的创造，林大哥最长的一篇小说，大概是《满城飞花》，算是个中篇吧，那是以他爱女林布谷大学毕业，自主地走向生活为素材写成的，调子很明朗，不怎么"怪"，因而也就似乎并不怎么能代表他的风格；他另外的较长作品，如早期的《台湾姑娘》，1778年"复出"的《竹》，字数大概也都两万多而已，所以刊物发表时，也都还列在短篇之列。另外，知之者可能不多，林大哥发表过若干剧本，好像他出的头一本书，就并非小说集而是剧本集，他的剧本风格也很怪，所以至今未有被搬演于舞台过，契诃夫也是除了小说，擅写剧本，而且其剧本也一度被人所不理解，要不是遇上了斯坦尼斯拉夫斯基、丹钦柯，恐怕也永难搬上舞台。我在 1980 年曾写过一篇文章，说林大哥的小说是"怪味小说"，我满以为我的这一"恶谥"会流布开来，却不曾想反响寥寥。

我知道我把林大哥比之于契诃夫，很多人心里会不服（嘴里大概不好说什么），可我确实是个林氏"怪味小说"的偏爱者，依我想来，整体的契诃夫固然高不可攀，单篇而言，林大哥的造诣，确不怕与契氏的某些篇什相提并论，如"矮凳桥风情系列"中的《溪鳗》。但林大哥攻短篇凡四十余年，红是红过，却总未大红过，更未紫过，对他的误解、误读乃至于误会，从未间断过，说他"默默"，过头了，说他"埋头攻艺，锲而不舍"，应属恰切。

林大哥眼高，从他近两年在《读书》上所发出文章，能看出他对非艺术因素介入、干扰艺术的深恶痛绝，他是个"为艺术而艺术"的人，总在那儿盯着"艺术高峰"，此所谓"这山望着那山高"也；但真达到"登峰"（且遑论"造极"），谈何容易！只有拼命地奋斗，故又曰"望山跑死马"。但到头来林大哥还是乐观的，艺术家忠于艺术，忠于艺术的本性、本质、本色，到头来，艺术这条路，通向高峰的路，还是可以走通的——所以最后又说"山不转路转"。

林大哥的"怪味"，其实恰是艺术"正宗韵味"之一种。他的为人，经我这些年身受心领，更没得说，我是由衷地钦佩、膺服。

我与林大哥，相异之处实在太多，我写出的东西，与他写出的东西，风格尤其大相径庭，可是这些年来我从他那里，真学到不少的东西，这是真话。

林大哥最值得我学习的，是他的艺术骨气。

因为各自都忙，离得都远，还有种种其他因素，好久没去拜望林大哥了，前些天倒是还通过电话，林大嫂在电话里热情地说："你来玩呀！"

这些年我把人情看淡了，很懒得去别人家"玩"，但林大哥那里，还真想去，是的，我们在一起，会很好玩的。

月光马儿

8 月 25 日 星期四

今天整理书架，检出一册《燕京岁时记》，翻看中，思绪不禁飘回了劲松。

许多外地人不清楚，劲松是北京的一个地名。

从 1979 年到 1988 年，我有 9 年住在劲松。劲松是北京最早建造的新居民区之一，当时仍处"文革"阶段，其命名，不消说是源于"暮色苍茫看劲松，乱云飞渡仍从容"的诗句；不过那片地方，传说原有一处"架松"，是千年老树，很早就用大量支架，撑住其伞形的矮冠，我迁去后曾四下寻觅，可惜始终未见；现在劲松地区经过多年发展，已成为一个色彩丰富、繁荣热闹的地方，但我们刚迁去时，施工未竣，绿化初始，一片形状雷同的板楼、块楼，时常笼罩在飞扬的灰尘中，使人产生一种单调、窒闷的感觉。

可是所迁去的楼宇中，芳邻不少，我们那个单元门里，便有石大妈、石大爷两位老人，且不说他们对公益事务的热心，也不说他们对我们一家的多方照应，单是跟他们闲聊，那丰富的掌故、幽默的语言，便极令人快乐，给本来颇为单调、枯燥的生活环境，平添了许多无形的色彩与韵味。那时我正集中阅读一批关于北京风俗的笔记，特别是晚清与民初的，如《藤荫杂记》、《道咸以来朝野杂记》、《梦蕉亭杂记》等，其中特别是篇幅最短的《燕京岁时记》，那些简约而清丽的文字，使北京城中曾存在过的独特民俗，活现于我的眼前，如说到什刹海："……俗称河沿，在地安门迤西，荷花最盛，每至六月，士女云集……凡花开时，北岸一带风景最佳：绿柳垂丝，红衣粉腻，花光人面，掩映迷离，直不知人之为人花之为花矣！"又如："中元黄昏以后，街巷儿童以荷叶燃灯，沿街唱曰：'荷叶灯，荷叶灯，今日点了明日扔！'又以青蒿粘香而燃之，恍如万点流萤，谓之蒿子灯。市人之巧者，又以各色彩纸制成莲花、莲叶、花篮、鹤鹭之形，谓之莲花灯。"再如讲到一种我以为并非迷信，而是寄托着市民浪漫情怀的民俗："六月乃大雨时行之际。凡遇连阴不止者，则闺中儿女剪纸为人，悬于门左，谓之扫晴娘。"有一回到了石大爷、石大妈家，我就请教他们，当年所剪的"扫晴娘"，究竟什么模样？他们先对望一眼，石大爷问我：从哪儿知道有这名堂的？我便说是从《燕京岁时记》里看来的，石大爷便看着石大妈，说：你给说说吧！石大妈这时表情有点古怪，不像是不乐意，可也不那么痛快，我就岔开说，那时候，好多的这类东西，其实挺美，如果能恢复起来，挺能陶冶年轻人情趣的，比如，还有八月节时兴制作的月光马儿，《燕京岁时记》里说，"京师谓神像为神马儿，不敢斥言神也。月光马者，以纸为之，上绘太阴星君，如菩萨像，下绘月宫及捣药之玉兔，人立而执杵。藻彩精致，金碧辉煌……长者七八尺，短者二三尺，顶有二旗，作红绿色，或黄色，向月供之……"我说，现在各旅游景点，为什么净卖些个不伦不类的塑料东西，不卖点这种月光马儿呢？

直到我把《燕京岁时记》引了一溜够，石大爷这才告诉我："你别提啦！那书，就是你石大妈她爷爷写的！"

啊！原来如此！石大妈写她名字，是傅愚两个字，《燕京岁时记》一书，署"长白富察敦崇礼臣氏编"，富察氏的后代，把自己的姓简化为傅，这很自然。生在这样的家庭，石大妈不仅知书识礼、博学强记，而且出语幽默、情趣盎然，也就毫不奇怪了！

富察敦崇所写的这本《燕山岁时记》虽是薄薄的一本小书，却因所记北京民俗风物言简味酽，颇有影响，在光绪三十二年（1906年）首印后，很快便有了日译本与法译本；另外，我们还知道富察敦崇著有《芸窗琐记》、《皇室见闻》。据石大妈回忆，直到 60 年代初，她娘家人家里，床底下还堆着几只旧箱子，里面全是她祖父的手稿，估计其中尚有以上三本以外的著作；但到 70 年代，全荡然无存了。石大妈实事求是地说，也别全推到"文化大革命""破四旧"的罪过上去，毕竟时代在变，富察家的后代，对什么值钱什么不值钱，什么值得留着什么不值得保留，有了越来越新派的想法，所以，即便没有"文革"，那些"破箱子"、"破纸片儿"，恐怕也早晚会给送到废品收购站去的。我和石大妈、石大爷议及此，不禁相对叹息。

富察敦崇未刊文稿的湮灭无存，比起《石头记》八十回后的迷失无踪，也许真算不得多么大的文化损失。不过，我想每个时代的文化，应是一个完整的生态群落，其中既有参天大树，也会有高矮、粗细、妍媸不一的其他树木，乃至灌木、藤萝、蕨类、草菌……写不来《石头记》、《儒林外史》、《聊斋志异》那样伟大的书，能写出《燕京岁时记》这样的小册子，娓娓地告诉我们"酸梅汤以酸梅和冰糖煮之，调以玫瑰木樨冰水，其凉振齿"，或单单给我们开列出"糟蟹、良乡酒、鸭儿广、柿子、山里红"，"风筝、毽儿、琉璃喇叭、布布噔、太平鼓、空钟"，"赤包儿、斗姑娘、海棠木瓜、沤朴"……不也是一种文化贡献吗？

1988 年后，搬到离劲松很远的安定门外护城河边住了，难得再回劲松逛逛。不过，从我家现在的阳台东望，雍和宫的一片黄瓦，常在晴阳下闪烁，于是也便不断想起《燕京岁时记》里提及雍和宫"打鬼"与熬腊八粥的片段，并且也就偶尔想念起石大爷、石大妈来，那传承着许多燕京民俗营养的两老，他们该依然康健、怡然吧？

慈禧照相

8 月 28 日 星期日

写完了探索性心理的系列中篇《北海三部曲》的第三部《五龙亭》，打算休整一下。我的休整，主要是听音乐和看"闲书"。这几天细细地品味了舒曼的两部交响曲，是的，舒曼的气象，总显得小气，不过我这几天既然想放松一下，也就不必一定要听气势磅礴的大曲，倒是舒曼的柔美与琐细，很能化解我前些天的沉重与劳乏。

另外，也许是前些天买回了一本故宫藏照，整理书架时，便抽出了很不少关于晚清的笔记，有一搭没一搭地翻看起来。这一翻不要紧，竟忽然对慈禧照相一事，有了探究的兴趣，并牵三挂四地联想不止。也罢，今天爽性将其记录下来。

在北京故宫现存档案里，有慈禧的大量相片，其中数量最多的，是光绪二十九年 1903 年在颐和园所拍的"标准照"。尤其是一张《宫中档簿·圣容帐》记载为"梳头穿净面衣服拿团扇圣容"的照片，现存 103 张，每幅高 75 公分、宽 60 公分，衬裱在硬纸板上，镶在雕花金漆大镜框中，并分别放在紫檀木盒内，外裹明黄色丝绣锦袱；估计这些照片并非留作自我欣赏，也非意在留藏宫中，是准备用于外交礼仪，作为尊贵赠品的。当初晒印时，不会取 103 之数，可见已送出了若干，但所送出的，又不是太多。查记载，1904 年德国皇储来华，慈禧接见，曾取出一幅，托其转与德国皇后，"用黄亭抬至外部……加车随德储君赴津，送至柏林，藉代游历"；还送给过什么"外宾",至目前尚无人细作统计。

这张"梳头穿净面衣服拿团扇圣容"的照片,我们可从紫禁城出版社编印的《故宫珍藏人物照片荟萃》里看到,与这张拍摄在差不多同时的,还有很多张"圣容",格局大体相同,但布景、服装、饰物与慈禧所摆姿势各有变化。从布景上看,宝座与扇基本不变,宝座后的屏风,则有孔雀、寿松、丛菊等多种变化,宝座两侧的摆设也往往各不相同,或瓶荷安泰,或百果献寿……地面所铺的地毯也时有改换,但变化最大的则是慈禧本人,仅所换的服装而言,便有团寿字、竹叶青、缠枝莲、蝶花、寿蝶等多种纹饰;而她的装饰品,就更是不断地增添组合,有戴护指照、佛珠照、东珠照……有几种是戴明珠披肩拍的,那披肩系用 3500 粒大如黄雀之卵、俱精圆纯净的天然珍珠连缀而成;更有趣的是慈禧从端坐的姿态,渐渐演变为各种比较随便的坐姿,以致最后干脆站起来拍,甚至于拍出了一手簪花、一手揽镜自照的"表演照"。

1903 年慈禧 68 周岁,她的 70 华诞的庆典已在紧锣密鼓地筹划,大量地拍照,据说也是有关的节目之一,从 1903 年到 1905 年,她的这些照片基本上都是一个人拍的,那位宫廷摄影师便是勋龄。勋龄是一度担任清廷驻法、德等国大使的贵族裕庚的儿子,他和另外一弟二妹从小随父母到西欧生活,在法国人陆军学校学习,在那里学会了摄影,并具备相当的水平;1903 年裕庚全家从欧洲返国,勋龄和弟妹都被召进宫中,因为当时慈禧大量时间是待在颐和园里,所以他们也就大量时间在颐和园里为慈禧服务,勋龄管理颐和园的全部电灯,他弟弟则管外国运来的小火轮,因为他们是男的,所以能挨近慈禧的时候不多,而且每晚必须出园回家去睡;可是他的两个妹妹就幸运多了,大妹妹德龄和二妹妹容龄(也有写作德菱、容菱的,因系满语译音)都成了慈禧所宠爱的御前侍从官,因为她们都通英语和法语,所以实际上主要充任慈禧接见洋人时的翻译,慈禧对外洋的了解,在很大程度上通过这两姐妹来完成的。慈禧封德龄为公主,并欲把她指嫁给权倾一时的荣禄的儿子,可是深受西方文化熏陶的德龄无论如何不能接受这一"恩典",她借到上海探视父亲之机,再没返回宫廷,并终于自主地嫁了一个美国人,后并用英文写成颇有影响的回忆录,前一部分是关于童年的回忆，后一部分则是关于在慈禧身边担任御前女官的回忆，她的回忆录，特别是后一部分，颇具价值，很早便有文言与白话两种译本，那里面，对她哥哥勋龄给慈禧拍照，以及美国女画家卡尔给慈禧画像，都有很生动详尽的记述。

据德龄记述，1903 年在颐和园中的拍照，是慈禧初次照相。此说尚可讨论。因为徐珂的《清稗类钞》里，有关于日本摄影师山本赞七郎应诏为慈禧在颐和园中拍"簪花小照"的记载，并称照完后当天便于庆王邸消夏园中冲洗，慈禧不仅"许以千金之赏"，并"内廷传谕又支二万金"，一张照片获如此厚酬，惜乎当年尚无《吉尼斯世界纪录大全》，否则定当入选。日本人为慈禧拍照事，当在庚子（1900）年前，那时宫中一定已有拍照之举，因为在现存于故宫博物院的旧照片里，虽无慈禧和光绪的，却有一张珍妃的，珍妃于八国联军逼近京畿，慈禧挟光绪"西狩"，临行前被推于井中了，所以她的这张照片，是上世纪宫中即有照相事的不争之证。但不管怎么说，1903 年到 1905 年勋龄为慈禧的拍照，才使慈禧终于迷恋上了西方这一"奇技淫巧"。

照相术的发明，是人类社会的一个伟大进步。一般史家都认为成型的照相术，是由法国人路易·达盖尔与英国人塔尔博特在互不相通的情况下，分别发明出来的，前者的成像方法就被称为"达盖尔法"（Daguerreo type），后者的则被称为"卡罗法"（Colo type），时间约在 1839 年，很快风靡欧美，并传进中国，1844 年 8 月，两广总督兼五口通商大臣耆英到澳门同法国史臣拉厄尼谈判签约，意大利、英国、美国、葡萄牙等国官员向他索取照片，他毫不为难，立即拿出一式四份分赠，并将此事奏予朝廷："（洋人）请奴才小照，均经给予。""小照"便是当年中国人对照片的称呼。笔者 1988 年在法京巴黎的摄影博物馆中，见到过耆英的"小照"，署名朱利·埃及尔（Jules Ltier）摄，此摄影者系当年法国海关总检察官。到 1860 年左右，在上海、广州出现了外国人开的照相馆，并出现了一些中国最早的摄影家；北方虽此风晚到，但到 1875 年时，天津也出现了若干家照相馆，其中最著名的有梁时泰照相馆、恒昌照相馆等；至于京城，直到 1892 年才有泰丰照相馆开张，虽后来，却居上，这家照相馆拍摄了大量京剧剧照，并在中国最早拍摄了"活动照相"（即电影）。就这样，照相术这个"泰西怪物",从洋而中,由南而北,从官场到民间,一步步向宫廷围渗,并终于在 1903 年,获得中国当时实际的最高统治者慈禧的青睐。

慈禧个人的奋斗史,恰重叠于中华民族"最危险的时候",就她个人而言,那真是极大的成功——竟打破了清朝列祖列宗的几层禁忌,在同治、光绪两朝成为实际上的最高统治者,并在临死前还亲定了小皇帝宣统;在半个世纪里,她渡过了一次又一次的政治危机,击败了一个又一个对她那至高无上的权力进行挑战的政敌,又始终过着随心所欲的相当富有审美情趣的帝王生活,正是在她的亲自培植下,一个至今仍令全世界惊叹不止的艺术瑰宝——"北京歌剧"即京剧,正式形成;但在当代史家笔下,慈禧却是一个几无争议的反动人物,在戊戌变法、义和团运动等一系列重大的历史事件中,她的确都扮演着可耻的阻碍历史前进的屠夫角色,她的穷奢极欲、武断乖戾、反复无常,更令人厌恶唾弃。中国近代史的那 50 年里,也许无论谁占据那最高的决策地位,也无法逃逸于整个中国的悲剧性命运,因为在人类历史进程中,某些深处的机制是难以抗拒的,但慈禧个人的擅权、保守、狭隘、顽固,有时甚至表现为一时震怒、一刹错念,而以她个人的那点绝对无法适应中、西文化大碰撞的见识和无人可以驭制的乖戾性格,影响着中国历史的具体进程,并波及几乎每一个那时代中国人的生活,也为她死亡以后的中国埋伏下了无数的玄机。

据德龄回忆录的第二部《清宫禁二年记》,慈禧在颐和园中,心情好时,"极形仁慈","如慈母焉",她在德龄的住房中看见了德龄在法国拍的相片,惊而言曰:"噫!此皆尔之影片乎?较之画像佳甚,且益逼真,曷为不早示余?"(为简省字数,引用德龄回忆悉取文言译文,下同)后得知管电灯的勋龄即擅摄影后,立即召见,并迫不及待地就要他给自己拍照,命曰:"余拟先摄一乘舆视朝之状,然后再摄他影数种。"第二天天气晴好,勋龄携摄影器数具,候于宫院内,慈禧步入院——视之,听勋龄详解摄影之法后,即命太监一人立于器前,她则由聚光镜片中,望其形状,旋忽惊问曰:"尔首曷为颠倒?!"听了德龄一旁的解释,转疑为喜,于是登御舆,命舆夫舁之行,将过摄影器时,勋龄已拍一影,慈禧过摄影器后,问是否已摄取其影,得知已摄，很不高兴，曰："曷不先告余？！……后再摄时，须先语余，俾令面容和悦也。"这天临朝，她竟不管事之缓急，只匆匆坐谕了20分钟，便宣布退朝，各大臣既去，她即步入朝堂之院内，命舁御座入院，后置屏，下置足凳……又命宫眷取长袍数袭，俾其选择，然后便大拍特拍起来。拍讫，她便要勋龄展示照片，勋龄解释还需在暗室中冲印，她竟说："此无妨，余愿一往视之，固不问室之如何也！"于是，将近70岁的慈禧又兴致勃勃地与勋龄、德龄同入暗室，在红光中观看冲印过程，刚冲出负片，她马上取到手中观看，又惊疑为何相上脸、手皆黑？待给她解释还需再印正片的道理后，她感叹说："原来如此，诚可谓到老学不尽矣！此事以余视之，洵属新颖。今余摄影，中心甚慰！"时已中午，她去休息，下午三点半钟，午睡甫醒，她便匆匆着衣，迥异恒时，衣毕，即赴勋龄处，亲观晒印，当时是用天然日光晒印，慈禧竟不辞辛苦，坐视勋龄操作，足有两个小时之久，既得第一张，手持弗释，更阅其他数张，及复视手中者，讵已变黑，于是再次惊呼："胡为变黑？！抑晦气乎？！"这时，勋龄的前程，在几秒钟里，恐怕真是悬于发丝了！德龄一旁忙予解释，这时的解释一定要：一、言简意赅；二、使用慈禧易懂的语汇；三、又不能有丝毫令慈禧尴尬的副作用；四、营造出欢愉的气氛。果然，德龄在以上四个前提下，把显影后如不及时用药水定影，相片还是不算最后完成的道理，让慈禧终于明白，于是这位最难伺候的老佛爷方转怒为喜曰："是诚有趣。"从此她拍照兴趣大发，竟很有点"不爱江山爱照相"的味道。

拍腻了"标准照"，慈禧又大拍"生活照"，并简直允许勋龄用抓拍法随时随地拍摄起来，这都还不过瘾，于是又搞了大量的"化妆摄影"，其中最多的是在颐和园与宫禁内中海荷花丛中所拍的观音照，慈禧自扮观音，她的爱侍李莲英扮韦陀或善财童子，庆王的女儿四格格扮龙女，等等，现故宫博物院所藏清内务府档案中，保留了不少有关慈禧照相的口谕笔录，如光绪二十九年（1903）七月，为准备十六日（阴历）的拍照，提前多日便有如下口谕："海里照相，乘平船，不要篷。四格格扮善财，穿莲花衣，着下屋绷。莲英扮韦陀，想着带韦陀盔、行头。三姑娘、五姑娘扮撑船仙女，带渔家罩，穿素白蛇衣服，想着带行头，红绿亦可，船上要桨两个，着花园预备带竹叶之竹竿十数根，着三顺预备，于初八日要齐。"（见《紫禁城》杂志1980年总第4期所引）所以万不要以为在那"多事之秋"里，这位中国独裁者脑子里所装的，皆为军国大策，或只是醉心于与"维新派"的政敌进行"路线斗争"，她实在是用了很不老少的时间开动脑筋，花样翻新，色色精细、奇想迭出地大照其相，也就是痛享了一番这由西方"蛮夷"那边传来的"奇技淫巧"，以致她人虽早化腐灰，而"圣容"却遗留得未免有点"供大于求"了。

从德龄的回忆录中，我们可以看到，慈禧对西方，实在是很有好奇心的，在维持其自尊心的前提下，她是很愿与西方事物接触，更愿听取种种形容介绍的，她对西方文化，并没有一个决然要抵御的前提。那时的慈禧，已多少具备了一些关于西方的地理、历史知识，不再以为法国、西班牙等无非都是英吉利的狡狯"化名"，以便多向中国索要赔额；她并对英国维多利亚女王甚表钦佩，有时还以彼自比。当她宣谕要甫归国的裕庚夫人带领德龄、容龄两姊妹到颐和园觐见她时，裕庚夫人未免惶恐，因为她们母女都来不及制作满族服装，慈禧却让她们马上穿着西洋裙装入见，她们遵旨去了，慈禧对她们的洋装虽觉奇诡，却又甚感美丽，竟因此命令她们就那么洋装打扮地随侍身边，有一回，听德龄说到西洋人开舞会的事，她竟让德龄、容龄两姐妹在西洋留声机放送的西洋舞曲中，向她演示西洋人的舞姿（该姐妹在法京巴黎曾向后来名声大噪的依莎贝拉·邓肯学过舞蹈，还公开表演过芭蕾舞，因此在慈禧前的表演不过是小示其技），慈禧虽甚感惊诧，却又兴味盎然；直到几个月后，德龄她们感到西洋装扮实在不能适应中国宫廷的生活方式，并且慈禧也终于感到看腻，这才命她们改换满装。在各地高官纷纷向慈禧敬献各种贵重的寿礼时，慈禧难得有看上眼的，但德龄母女从法国巴黎给慈禧订购的化妆品和洋靶镜，却令慈禧喜不自禁、爱不释手；慈禧很乐于接受西方外交使节夫人的觐见，并很注意给对方留下"文明印象"，比如说，在颐和园中，宫眷们，包括光绪名义上的妻子隆裕皇后，当然更包括德龄、容龄等女官，都是绝对不能坐下来吃饭的，即使不在慈禧视野之内也不能坐，可是在颐和园里招待外国使节夫人时，所有与宴的宫眷都有了座位，并且布置得就仿佛从来如此一样——这并非是"维新派"的建议所导致，而完全是慈禧自己的决定。在《故宫珍藏人物照片荟萃》一书里，我们可以看到一张慈禧与几位洋使节夫人的合影，照片上甚至有一个才几岁的洋女童，俨然站立在慈禧的宝座一侧，面对这种与西洋人亲和的"圣容"，我们很难想象，就是这个慈禧，曾在1900年义和团运动的高潮中，企盼并支持端王（载漪）等率领"拳民"，将北京的使馆区夷为平地，并将所有洋人从中国大地上予以肉体消灭或扫地出门，毕"攘外"之功于一役，虽然她的"迷乱"只有不长的时间，并付出了扮做农妇，仓促挟光绪出逃西安的惨重而丢脸的代价，可是到勋龄给她大照其相的这一年，她似乎终于悟出，对于西洋人，不管怎么说，你到头来已无法回避，不让他们进来，或把已进来的统统轰走，都已全然没有可能，你只能与他们耐心地打交道。在1903年所拍的与泰西妇人的合影中，我们可以从慈禧的脸上读到这种既无奈又理智的表情。

德龄回忆录称，在美国画家卡尔终于画完了慈禧的油画像后，慈禧问她，卡尔女士可曾问及庚子年的"拳乱"？并由此向德龄痛吐心曲，承认听信端王、澜公（载澜），放纵他们让"拳民"去攻使馆、杀洋人，是铸成了一生中的大错，后悔不迭。德龄回忆录的这一部分，有人指为不可尽信。其实，从《景善日记》等其他史料可知，慈禧在庚子年之所以终于决心与洋人势不两立、决一死战，是因为听说洋人下了正式照会，要她把权力交给光绪，也就是要她下台，这是她万万不能的。即使有人说洋人的这一对中国政治权力的公然外交干预，是端王他们放出的谣言，但来自洋人的这种干预性压力，客观上至少是以不那么正式的方式表达过的，并非子虚乌有，所以，这就启示了我们，到头来，慈禧的所有政治决策，并非一定是她刻意保守，而是她遇事必权衡其对她无上权力是否构成了威胁，在1901年8月自西安回銮北京以后，通过与帝国主义列强签订了屈辱苛刻的条约，她感到洋人们似乎并不怎么干预她的权力行使，她的"灭洋"情结反得化解，于是，自那以后，屡有颇具革新意义的诏令经她首肯颁布，如1901年8月銮驾刚歇便命各省于省城及所属府州县设高等、中等、初等学堂，又命选派留学生出洋留学；12月，许宗室子弟出洋留学，命满汉通婚，劝谕女子勿缠足；1902年7月，颁行学堂章程，大体采用日本制度；12月，派员参加美国圣路易城博览会；1903年2月，命保护出洋回国华商，又派员赴日本考察金本位制；7月，设商部；9月，命各地方大小文武官员振兴商业，公布商会、铁路简要章程；11月，派京师大学堂学生31人赴日、16人赴西洋各国留学，该月17日，北京译学馆开学；12月，颁《钦定大清商法》……而至1905年7月，爽性宣布结束科举，"一切士子皆由学堂出身"；11月，派载泽等五大臣出洋考察宪政……这时的慈禧，是只要你不去撼动她的权力，一切都好商量。她的权力概念，是以她个人为中心的，比如我们说"《辛丑条约》是丧权辱国"，我们这话语里的"权"，是抽象的"国权"，可是慈禧却只看重是否还能由她"一个人说了算"，只要最后还是由她"定盘子"，那就哪怕定的是个向列强割地赔款的"盘子"，或定的是个简直与"革命党"要求并无二异的结束科举的"盘子"，她都觉得并未"丧权"，反之，哪怕你行起权来比她更守旧，或对"革命党"弹压得更严厉，或竟真将"外夷"攘于疆外了，她竟不能"定盘子"，那她也是不能甘心的，在她来说，那才是"丧权"，是暗无天日，是绝不能容忍、接受的。更明快地说，要卖国也得由她卖，要维新也得由她行，要杀洋人也得由她杀，要优待洋人也得由她待，慈禧专制中国半个世纪，她的心眼儿里，装的就是这样的权力观念，她对亲儿子同治皇帝都不放权，同治死后把妹妹的儿子光绪抱来充当傀儡，光绪死了，她眼看也活不成了，到生命结束的前一分钟，她仍想着不能"大权旁落"，一定要再抱一个亲妹妹的孙子（虽为侧室所生）当傀儡，并要她的亲侄女儿隆裕皇后替她再搞"垂帘听政"那一套……

且说慈禧在1901年后虽首肯颁布了一系列似乎是顺应时代潮流的命令，可是她的这一切"开明态度"都来之晚矣，革命党不能饶过她，只承认光绪权威的"保皇党"也不原谅她，帝国主义列强也只是利用她的昏庸一而再、再而三地从她那里榨取中国油水，既然她实际上已成为帝国主义列强瓜分中国的一个工具，派几个洋太太在她面前承欢，送她一些洋玩意儿解闷，让美国女画家给她画像……直到接受她那大幅的"梳头穿净面衣服拿团扇圣容",又何乐而不为呢?

翻看着《故宫珍藏人物照片荟萃》里慈禧太后那一幅幅相片,我把相片里的她仔细端详,忽然有一种麻脊刺心的惊悚。我意识到,在那些相片里,埋藏着一种超越历史评价、道德裁决的更悠远深邃的东西,一种人性的东西,个性的东西,命运的东西,说不清道不明却又能让我们刻骨意会的东西……

是的,那是真的——人,实在是一定时空所捕获的人质。不仅是慈禧,任何一张旧照片里的人物,彼时彼处彼人所凝现的那一瞬,从这个意义上去观察,都能让我们思绪悠悠升腾……

且住! 固然任思绪自由升腾,也是我休憩的方式之一,但这次所飞升的思绪,是不是又在引发疲劳呢? 作为一个现时空里的中国文人,是否被张洁不幸而言中,所张开的,总是"沉重的翅膀"呢?

还是换成听音乐吧,这回,要真正轻松欢快的——民族器乐曲《步步高》……

重访北海

8 月 31 日　星期三

晓歌身体渐好，由可以下楼散步，进步到可以到稍远的地方闲逛。

今天我陪她去了北海公园。

在楼下，遇上了 G 君，听说我们要去北海，笑对我说："你那《北海三部曲》还没写完哪？还要去补充生活么？"我也就笑笑完事，懒得解释。

一些朋友听说我写了三个互有内在联系的系列中篇《北海三部曲》，都很感兴趣；这三个中篇的题目分别是《九龙壁》、《仙人承露盘》、《五龙亭》，都取自北海公园里的景点名称；其中"仙人承露盘"位于琼岛的一个角落，很多游人未能注意，所以用它作小说题目，颇令人感到奇诡，加以有人听说这个已送到《钟山》的中篇，竟是写同性恋的，就更等着看"刘心武又在弄什么怪"；G 君笑嘻嘻地那么问我，一定也是出于这样一种好奇心。

我写北海，何用去"补充生活"，我对它，岂止是熟悉而已，不仅早将其"十二栏杆拍遍"，那公园的角角落落，实在络挂着我太多的生命丝缕！

也不仅是我，晓歌何尝不如是？她甚至比我，对这个昔日的皇家园林，更有着一言难尽的人生依恋。她十多岁时，便随父母迁居于北海后门外的东官房胡同，后又移到离北海后墙更近的羊角灯胡同；从小学到中学，到后来参加工作……她的个体生命，有多少时日是傍着北海公园周围的空间燃烧的啊！

我呢，自 19 岁到北海后面柳荫街的北京 13 中当教师，一当就是 15 年，我的整个青春期，也都是在北海周围度过的啊！不消细说，我与晓歌的遇合，这北海便是一个具有生命的布景。是的是的，北海啊，你那泱泱湖波、巍巍白塔，还有环湖的古柳、嶙峋的山石，都是我们青春、爱情、悲欢与歌哭的见证！

……进到北海公园，前湖东面荷叶田田、粉莲怒放，我们且不去别处，先到游人较稀少的东岸，觅一空椅坐下，任熏风拂面，深吸着荷香，虽一时默默无言，却胜似滔滔互诉，我们的心头，一时都有无数往事涌来……

自然，我们心尖托起的，首先是那些欢快的、亮丽的，也就是鲁迅先生所说的那种，"好的故事"。晓歌想是忆起当年到隔壁景山少年宫参加合唱团活动，"小鸟在前面带路，风啊吹着我们，我们像小鸟一样，来到花园里，来到草地上……"或者她又忆起，当年参加国庆游行，跳"荷花舞"，一人发一套长裙，那长裙底部用藤圈撑开，裙底边上又"长出"几朵荷花，那是多么美丽的服装，多么令人兴奋的舞动啊……我呢？我忆起了什么？晓歌一定不难想象，比如说，我们恋爱期中，我为了表示我有多么地豪爽，竟一下子买了一大兜杨梅（那在当时实在是很破费的奢侈行为），我非让她吃，自己也吃，结果，吃得我们两个终于捧着双腮，嗷着酸牙，面面相觑……

长大成人的儿子，有一天问我们："你们为什么还要怀念那些个岁月？那时候不是一个政治运动连着一个政治运动，当中还有个十年的'文革'吗？"当时，我和晓歌只是对望一下，笑笑，没有马上回答他。现在，我想对儿子说，个体生命，是无从自由选择落生时间，并且也往往难以自由选择生存空间的，他或她无法逃逸于时代风云，无法回避社会与群体的裹挟，而且，他或她也应尽量与时代、社会、群体的大走向协调，但是在任何一个时代一个社会一个群体之中，个体生命也都应尽可能创造出那属于自己的世界，特别是情感世界……

从北海公园回来，我和晓歌在对望中，都感到又年轻了许多。

晚餐时的直播

9月4日　星期日

傍晚六点至七点，每天正是吃晚饭的时候，我应邀到北京文艺（电）台去做节目。这个节目叫《文化人》，主持人孟立女士是位个头高高、嗓音浑厚的飒利人。

因为我有过到北京新闻台《空中百花园》当"嘉宾"的经验，所以进入了文艺台的播音室，一点也不紧张。只见前一个节目还在进行，两位播音员正在接热线电话，是请听友答问，连过三关者有奖。播音员熟练地移动着控制器上的滑钮，有时想必是滑到了全关的位置，于是他或她便很随便地与进到播音室的孟立说话，如："外头热不热？""淋浴室热水几点停？"……转瞬，手指将滑钮移向放音，于是又恢复对听友的声气。孟立和我接替他们的位置后，孟立也是那样麻利地移动着滑钮，她大声地嘱咐完外间同事什么，又扭头问我耳机戴得舒服不舒服？这时我意识到我们的声音并未播出，听友们此时听见的该是音乐；但孟立的手指又一滑动，从她表情可以看出，我们的任何声音都将外传了，于是我也赶紧"进入情况"……这时就有个念头掠过心际：如果他们的手指滑动与所需方向相反，那多糟糕啊！……对他们的熟练生敬的同时，也消除了对播音的神秘感。

孟立先将我向听友们作一介绍。从《班主任》、《如意》、《钟鼓楼》一直提到已拍为15集电视剧的《风过耳》与刚到上海领了奖的《四牌楼》……但故意落在了我的"红学"专著《秦可卿之死》上。她定的今天的话题:《从〈红楼梦〉说开去》。于是我们仿佛面对许多正在做饭或进餐的听友,娓娓对谈起来。

在这样一个场合,具体地探讨"红学",特别是我所着迷的"秦学",那是不明智的。但我们很自然地谈到了北京电台所在的建国门外地区,这一地区里有明代留存至今的日坛,那古柏红墙,发散出浓郁的民族文化气息;更有著名的古观象台,那些古代天文仪器的剪影,在蓝色的天宇下象征着我们民族文化拥有过的辉煌……可是建外大街现在又是北京最"西化"、最"洋气"的地段,一栋栋星级饭店、一座座豪华购物中心,引进了西方的科技文明、工业文明、商业文明……虽然在美丽华翠亨村茶寮这类地方,中国的饮食文化已展示到登峰造极的地步,可是类似汤姆叔叔快餐店、必胜客饼屋(卖比萨饼的快餐店)等西方"快餐文化"仍插足这个地区,并吸引着众多年轻的中国人。这便是今日北京人——实际上也是今日中国人的处境,我们打开了"国门"与"国窗",外来的"文化风"或者说是"文明风"尤其是"西洋风",强劲地吹了进来,几乎拂到了每一个人的面颊。对此,有一些极端化的、情绪化的反应,比如,认为西方文明糟糕透顶,其吹进我们门窗,只起着污染败坏的作用;或认为惟有我们的民族文化传统,才是最好最高至善至美的。我和孟立,都认为打开门窗是好事,外族文明,包括西方文明,都是整个人类文明的组成部分,我们中华民族的文明传统,亦属其中重要的组成部分,而且,各种文明都有其长处,有其精华,也都会有短处,有糟粕,并且也都会有只适合于己民族而不合于他民族的部分;各民族间的文明,碰撞、交融、亲和、重构……首先是一桩好事,比如这建外风光,它首先标志着北京的社会进步与文明发展。

我又由此谈及了这些年对外国文学——包括具体文学作品和文论——的大量引进,当然首先是好事,对当代中国作家来说,可以大畅视野,增加了许多可借鉴的文本,活跃了思路,引发出许多有趣的探索与话题,我本人,便是这种"东西文化大碰撞"的受益者之一。

但是,不管怎么说,我们毕竟是我们,是我们这个民族的传人,首先是我们固有文化的产儿，尤其比如我这一行，我用中国的方块字写作，这就决定了：我必须首先要深深地扎根于本土文化、本土文明。所以，我虽然对西方自古典到现代到"后现代"的文学作品充满欣赏与好奇的心理，可是我更愿用大量的时间，去钻研我们民族的文学瑰宝《红楼梦》——它其实也是整个人类的文学瑰宝——从中，我感到有汲取不尽的美学营养。在甲戌本《石头记》开篇不久便有一首诗，里面有一句："浮生着甚苦奔忙？"这是终极性的叩问，问的是我们每一个个体生命生存的根本意义，我以为这叩问贯穿着整部《石头记》也就是《红楼梦》，是这部诗一样的长篇小说的魂魄。我建议每一个中国人，都要读读《红楼梦》，没工夫读全书，可以读缩写本——我为接力出版社搞的缩写本（把110万字缩成了30万字）已发排——当然最好还是慢慢地读全书，无妨放一部在枕边、茶几边，偶尔翻翻，也好。

我和孟立对谈中，有听友打来了热线电话，我很感动，因为，这时候人们应该都是在吃晚餐，能在这时候且不吃饭，且追寻精神上的"宴飨"，该是多么可爱可敬的听友！……听友问，面对民族文化的"失落"，我们该怎么办？这实在是个很大的问题，不可能在短短的一小时广播节目里说清，可是，我说，无妨大家鼓舞起来，都先从小处做起，比如，固然现在电视已进入到我们每一个家庭，围坐电视机前看电视已成为目前中国人的文化活动之一，这并非坏事，我一点也不想反对，但是，一个家庭，也可以偶尔关掉电视不看，围坐一起拿起一本中国古典诗词选，轮流朗诵那些由方块字构成的优美诗句："……芳树无人花自落，春山一路鸟空啼……""……独上江楼思渺然，月光如水水如天……"再比如，现在很多年轻父母很舍得下本儿，给孩子购置钢琴、电子琴，这都是好事，但又何妨给他们买根竹笛，买把胡琴？在带他们去麦当劳、肯德基品尝美式快餐之外，又何不再带他们去吃吃广式早茶、午茶？另外，保持对本民族的戏曲、曲艺、脸谱、风筝、剪纸、布鞋、作揖等文明的兴趣与习俗，也都是很容易做到的，只要你有这个心。

我的一位邻居，前些时去美国留学，他给我来信，说在一个"派对"中，美国朋友听说他在北京住在雍和宫附近，便要他讲讲雍和宫，他尴尬极了，因为他所熟悉的，倒是北京的麦当劳和肯德基，他就根本没进过雍和宫！这天晚上，一个人躺在床上，他难过极了，他这才发现，自己对代表中国传统文化的琴、棋、书、画，竟一窍不通！而自己身处西方，人家西方人可是把你当做一个东方人看待的，你的文化价值，首先要确立在你身上所散发的"东方气息"上，人家是不可能有兴致听你谈毕加索的画、马尔克斯的小说、麦当劳的汉堡包、迈克·杰克逊的摇滚曲的！所以他在信里说，他一旦回到北京，第一件事，便是进雍和宫细细观览！我在直播节目里向听友们讲了这个例子，但愿能引出些有益的联想。

节目做完，孟立自己开车送我回家。她自称只学了15天，而这样单独开车，才是第三次，问我怕不怕？问我时，我已坐进车里，就在她旁边，就算怕，难道下车不成？于是笑笑说："听天由命吧！"

坐孟立开的车，确有惊心动魄之感。不过最后还是安然无恙地到了家。于我来说，这真颇具象征性。

读王《西厢》 观孙《红娘》

9月6日 星期二

中国古典戏曲剧本，只有两部我百读不厌，一部是王实甫的《西厢记》，一部是孔尚任的《桃花扇》。闷了，可以拿出它们来，一口气，从头读到尾，就如好久没吃烤鸭和火锅，一旦重尝，仍觉满颊生香、心满意畅。别的，都不行，如名气大得不得了的《荆钗记》和《牡丹亭》，我都很难再有从头读到尾的兴致。这当然与我这个审美主体的脾性有关。

喜欢《西厢记》，首先当然是因为它的文本极具可读性。唱词之美，不在玲珑剔透、艳丽香溢上，而是充满生命的活力，有时甚至表现为粗犷勃动，给人的心灵，以冲破桎梏的极大快慰。第一本第一折，莺莺引红娘捻花枝上，张生一见，立即"呀"了一声，然后唱道："正撞着五百年前风流业冤！颠不剌的见了万千，似这般可喜娘的宠儿罕曾见；只教人眼花缭乱口难言，灵魂儿飞在半天！她那里尽人调戏着香肩，只将花笑捻。……只见她宫样眉儿新月偃，斜侵入云边……未语人前先腼腆，樱桃红绽，玉粳白露，半晌恰方言，恰便似呖呖莺声花外啭，行一步可人怜，解舞腰肢娇又软，千般袅娜，万般旖旎，似垂柳晚风前……"把男性对女性的一见钟情，刻画得入木三分，我以为是具有超时代超民族超地域的经典文本，值得普天下的怀春男子，同来一吟！

想想真令人惊讶,王实甫的这些文句,写在差不多六百多年前,比莎士比亚写《罗密欧与朱丽叶》要早二百多年,他下笔是如何地大胆,如何地理直气壮,如何地美而不伪、俗而不鄙、细而不琐、坦而不亵啊!

这是自有人类以来就存在的不争的事实:男女,特别是青年男女,又特别是未婚的、未曾有过恋爱经历的纯洁生命,会在某一天某一地某一刻,忽然对一个邂逅的异性一见钟情,"呀,正撞着五百年前风流业冤!""只教人眼花缭乱口难言,灵魂儿飞在半天!"虽然由于种种有时单纯而多半是复杂的原因,这一见钟情并不能开花结果,甚至最后竟酿成大悲剧,但那仿佛有神秘力量将两个异性紧紧吸引的感情经历,哪怕只存在了很短的一段时间,一瞬,一刹那,却不仅对当事人是美妙的,凡无坏心的他人看来,也应觉得是宇宙的花蕾,在春风中摇曳。

《西厢记》便是一出宇宙花蕾在春风中摇曳的颂歌。我爱《西厢记》,因为它令我感受到生命的可贵,包括生命中健康而自然的性欲。生而为人,有感情,有欲望,有追求,有神秘体验,有一见钟情,有因之派生出的痛苦、思念、失落,并且更有因之而磨砺出的奋取、克制、超脱,当然也很可能竟有如愿以偿与皆大欢喜,都是令我们自豪的事。

不知道在元代和明代,戏台上是怎样的演法。比如第一本第四折,在法堂拈香做佛事时,有"众僧见旦发科"的演出提示。"发科"便是做出种种因莺莺的美貌而不禁心动神摇的可笑情状,现在的舞台上是看不到这种处理了,也许是觉得未免"低级趣味",也许是为了场面简洁的技术性考虑。我却总想,如果我有机会做一次导演,我偏要遵照这一原作的提示,用一批坚信"只有小演员,没有小角色"的好演员,至少八位,用极夸张,然而又极有灵性的舞台造型,把男性对女性美的崇拜,淋漓尽致地凸现出来,这实在是美的情愫,而绝非肮脏的心态啊!

清代徽班进京,早期的京剧中,《西厢记》是怎么演的,也缺乏资料,我们现在所看到的,主要是由"四大名旦"中的荀慧生所编创演出并大体定型下来的《红娘》,古本《西厢记》里,主角是张生与莺莺,荀派京剧却将红娘作为了"一号角色",这是很成功的改编，不仅红娘的性格被浓化为豪爽活泼、无私无畏，有许多精彩的唱段与身段，而且，"红娘"进一步成为了社会上老少妇孺皆知的一个符码，意味着善意地担当中介服务，促成着互为寻觅的双方的邂逅与结合，所以如今电视节目里不仅有婚姻介绍性质的"电视红娘"，还有求职招聘的"人才红娘"，这恐怕是王实甫当年写作《西厢记》时所万没想到的。当然，现在京剧中也还有张（君秋）派的《西厢记》，那是以莺莺为主角的演法，有许多很甜美的唱腔，不过，我个人认为比之于荀派的《红娘》，似较沉闷，如不是京剧迷，一般恐怕是难有耐心听那抱着肚子的大段吟唱的。

今天晚上，与晓歌同往虎坊桥北京工人俱乐部，看孙毓敏的全本《红娘》。票是她寄赠的，我们去前，来不及买鲜花，因中秋即至，故买了一大盒"七星伴月"的稻香村月饼，进到剧场，先到后台，向她祝贺，并献上月饼，问候她全家。我家和她家，曾是一栋楼里的邻居，不仅她，她爱人老洪，婆婆，还有女儿蕾蕾，我们都熟。孙毓敏的艺术道路一度坎坷至极，她从戏校毕业后，分到剧团，因家境窘迫，入不敷用，经常去血站卖血，"文革"中，母亲自尽，她也不堪无辜地被批斗，一跺脚，从楼窗跳下，未死成，却落得下肢瘫痪，双脚脚骨粉碎，可是，后来她不仅顽强地生存下来，并且在"文革"结束后，通过坚韧的锻炼，奇迹般地站立了起来，又进一步恢复了技艺，重登红氍毹，由此，竟开启了她艺术生涯的一个新阶段，并渐臻炉火纯青，俨然大家风范，到最近，她出任北京戏校校长，多次出国讲学，收徒传艺，著书立说，可以说，已达到巅峰状态，我和晓歌，真是为她高兴！

孙毓敏的《红娘》由荀慧生生前亲授，自是荀派真传，但她在近十多年内不断地将其锤炼改进，我与她为邻时，有一次就听她跟我说，正在学习译制电影的配音演员将向隽殊的发音方法，把字吐得又清晰又柔和，以便将红娘的娇憨口齿表现得更有灵气；我以为，今天所看到的由她四位徒弟与她分扮的这出《红娘》，实在已可称之为孙派《红娘》，洋溢着饱满的青春气息，充满了善良助人的感化张力，并且，那一刻也不静止，如同彩蝶不停地飞来舞去，尤其是水袖如溪如瀑又似虹似翅的飘飞翻卷的舞台造型，使红娘成为了一种世上有真有美有善的象征，曲终人散后，闭眼后仍觉有活泼坚实的跃动，心灵获得极大的快慰。几位徒弟的演唱深得孙的韵味，有时行腔使气却未免有过火之嫌，记得我10年前也曾对孙毓敏冒昧地提过意见，认为她的戏，绝无瘟弊，却颇有失之于过火之处，比如行花腔，应将刻画人物作为目的，而不能心想着"非逼出观众掌声绝不罢休"，今天听她唱"拷红"一段中的西皮摇板，就恰到好处，所有婉转之处，或气断神凝，或长腔九曲，或忽收声弱，或大放悲声，直到坦坦荡荡地唱出"老夫人你得放手来且放手，得罢休来你且罢休"，都落在刻画红娘这一可敬可爱人物的目的上，但那优美的唱腔与表演，赢得了满堂彩声，其形式美，因承载了丰富的内涵，而具饱盈的魅力！

　　读《西厢》，观《红娘》，感谢古今艺术家，使我的生活，浸润在美感之中，并使我疲惫的身心，得到至为宝贵的慰藉鼓舞……

飞 箭

9 月 11 日 星期日

上海一位朋友的朋友，为一家叫《人到中年》的杂志跟我约"卷首语"。他那边长途电话还没撂下，我心上已有了一个飞箭的意向。

也许，长途电话约稿本身，便有千里来箭的味道。

一切正在运作中的人与物，都好比是飞动的箭镞，不是吗？

箭在飞。

离弓已远，但距靶也还有相当途程。

人到中年，也正如箭在奋飞。

弓的发射力，不够强么？也就是说，先天不足，少年失教，虽现在奋飞，却力不从心，很可能击不中靶心，甚至不到触靶，便会下坠么？也许，确是如此。人各有命，箭各有终，不要左顾右盼，盲目攀比，更不要自泄其力，嗒然而落。人生在世，必得前行，箭在飞动，那就穿过风雨，一往直前。人生的意义，并不胶着在预设的具体目标；箭的飞翔，更不一定必得击中靶心，只击中最外面的一环，或竟未能触靶，只要尽力而为地奋飞了，那也便不失为箭。

人生之旅，如箭之飞翔，然而只是"如"，并不是"等于"；箭出弓后，确实难以添加进力，而人是能发挥"主体性"之箭，在中途，是完全可以通过主观努力，补先天之不足，偿少时之荒废，增加力度，把靶子瞄得更准的。更何况，你这箭，并非在真空中飞，也不是在静态的气体中飞，你是在社会的复杂气流里飞，这气流是不断变化的，如果你不是一支"无心箭"，而是一支"有心箭"，那么，你就还可以发挥自己的主观能动性，抓住每一次可以利用的气流，也就是社会所提供的机遇，使自己的飞动更加有劲，并且对靶子的瞄准，也更精确。

弓的发射力，也可能极强，对靶心的瞄准度，也可能极高，甚至于"好风频借力"，竟是一支顺风箭，在高速运动中，并无吃力感，箭头朝着靶心，只是开心地笑，箭尾则目光四射，望着那些先天既不如己，又不顺风的邻箭，只是轻蔑和鄙夷……当然，这样的箭是幸福的也是幸运的，可是，我们也要提醒它，前面的途程，还很诡谲，说不定风向气流就会变化，你的顺风，很可能会变为逆风，甚至于是侧面风、四面风、龙卷风！而且，还可能会有雷电、暴雨、冰雹……乃至于迎头箭！所以，飞在半路的箭啊，纵使你现在大畅大顺，你也还是要以清醒的头脑，谨慎的心态，坚韧的意志，准备着经受灾变，穿越逆境，去达到你那预定的目标！在未真正击中靶心之前，任何欢呼胜利的举动都只意味着愚蠢，埋伏着夭折的危险！

飞动中的箭，是美的，处在弓与靶正中间的飞箭，尤美！

有道是"哀乐中年"，所谓"生死歌哭"的"歌"与"哭"，此时都最响最挚；人生的戏剧，究竟是悲、喜、正、闹哪一种？这时还难幕落判定，但不管怎么说，这时的人生最壮美，最深刻，最玄妙，人生的精华，往往集萃于此，"人到中年万事休"的说法之所以不可取，正在于未能取动态的观察角度，把飞蹿的利箭，倒看成了地上的秋草。

你已是一支飞箭了吗？

为你深深地祝福！

——我想，这些弹射自我心窝的"字箭"，该能为《人到中年》杂志所容纳吧？

那就，给他们射去！

灵魂的探究

9 月 12 日 星期一

今晚的思绪是沉重的。

白天，接到了天津二表姐的电话，唐哥竟不幸故去。

唐哥是我们亲戚间对二表姐爱人的统一称谓。他人高马大，魁梧俊美，万没想到他会在刚过 60 岁后故去。他的心脏，几年前感到出了一些问题，但并不严重，他也就是过些时候到医院检查一下，身上备些应急的药，不舒服时，立即服用一点，倒也一直没什么大不了的，从未住进过医院；这回他又不舒服，去了医院，医生让他住了进去，谁知这一入院便再不能生还。二表姐说，他是大面积心肌梗死，发作几次，头两次抢救过来了，最后一次，怎么都不行，竟眼睁睁看着他过去了！

唐哥头年从研究院退休下来，便担任了一家合资公司的总经理，曾来过一次北京，风风火火，踌躇满志，我跟他只见了约 10 分钟，便感到他确是"开始了第二青春"，那些个在我听来充满了浪漫气息的构想、计划、方案……他都在切切实实地推进，我私心里一方面但愿他能凯歌高奏，另一方面也不免狐疑其可行性，当时想：两年后看能否开花结果！现在还有什么好看呢？留给我的，只是无限的怅惘！

如果光是唐哥的一个噩耗，倒也罢了。偏又接到朋友 Y 君电话，告诉我他母亲已在医院中安息。Y 君母亲年过 80，算是高寿了，本也不足大悲，问题是，他母亲其实是绝粒而亡。此事说来话长。

Y君兄弟三人，他居中，他和弟弟，都"只生一个好"，均系千金。哥哥倒有三个子女，其中老二是男孩。也就是说，那惟一的侄儿，从他母亲的角度考虑，便是他家的"独苗"。那侄儿我曾在他家见过，端端正正、强强壮壮的一个后生；去年婆了媳妇，今年生了个闺女，到上个月，恰好是半岁；上月北京奇热，而且是湿热，当然难耐，但以他侄儿的年龄、身体，应可忍受——他是从未生过大病的，每次工厂里体检，他的各项结果，总是一色的减号，实在堪称是健康的标兵。可是就在上月的一天早上，他起床后，伸起胳膊去收拢蚊帐，就在那一瞬间，他"哎哟"了一声，便往床上倒，他媳妇吓了一跳，又以为他是开玩笑，他却憋得满脸先是红涨，次后便煞白，双手只搓揉胸口，好半天才说出一句："送我……上医院……"

在医院急诊室，抢救了一番，算是转危为安，却因并无心脏病的前史资料，无法确定他的心脏怎么会忽然不听使唤，只好留院观察。这其间，Y君跟我通电话时，将这事告知了我，我马上便说："这事可千万别让你母亲知道！"他哥哥长期住在精神病院，弟弟住房狭窄，母亲一直跟他住，Y君是极孝顺的一个人，这样的人眼下正在减少。他在电话里跟我说，侄儿媳妇跑来哭诉时，他母亲在隔壁屋里，因耳朵早近于全聋，所以不会听出他们交谈的内容；后来他大声向母亲解释，说是小两口闹了别扭，没大事儿，他会去小两口那里给他们说和，请她老人家不必操心，当时他母亲似乎也没什么特别的反应。

Y君侄儿在医院观察室中，心脏竟不断作怪，本院医生的解释不能一致，故确定请大医院的名医前来会诊，可是就在预定的会诊时间来到之前，侄儿的心脏竟再次发作，并就此抢救无效，一命呜呼，时年仅30岁挂零！直到故去，他的心脏究竟是患了哪一种病，医生们还在聚讼纷纭！

他家"独苗"的怪异夭折，自然对他母亲封锁消息，封得铁紧，他去操办丧事归来，还强颜欢笑地对母亲大声说小两口如何已不再闹别扭，过些天双双来看望她老人家云云。他母亲表情上也无大反应，但是自那以后便不大进食。开头他也不太在意，因为老人家往常有个头痛脑热胃逆腹泻，总是不愿吃药，而是采取禁食清肠胃的办法，来加以克服，倒也都能奏效，这方法甚至也传给了他和爱人孩子，全家已习以为常；可是连续多日，他母亲总是不吃饭，甚至水也不喝，他感到情况不妙，便买来葡萄糖冲剂，冲给母亲喝，母亲也不说不喝，可是他女儿发现，奶奶把杯子里的葡萄糖水，偷偷地倒掉了，这可是一贯节约得紧的奶奶从不会做出来的事！他得知后，这才不管母亲本人愿不愿意，强行把母亲送进了医院……

Y 君的母亲在医院因身体机能全面衰竭而亡故。我问 Y 君可有临终遗言，他眼睛红红地说："只有一句，就是……就是叫着侄儿的小名说：我知道，他是不会跟媳妇闹的……"

Y 君家里的悲剧，最令我惊悚的，还是那 30 岁侄儿的暴亡。

这些噩耗的接踵而至，不禁令我叩问苍天：谁在决定着个体生命的存亡？个体生命的身躯与灵魂，究竟是一是二？

多少年来，我所接受的正面教育告诉我，不存在一个可与肉体分离的灵魂，而且，人一死，那就什么都没有了，肉体即使不马上腐朽，化为骨灰泥土，灵魂也早就不复存在。

并且，"灵魂"这个词儿，大体而言，也主要是指人的思想品德，像"人类灵魂工程师"、"灵魂深处爆发革命"、"灵魂丑恶"等等说法，其中的"灵魂"，都并非一个实体而是一个抽象的概念。有时，"灵魂"、"心灵"、"精神"这几个词并用，表达着类似的意思，概而言之，所指的不是一个生命形式，而是随着人的肉体生长，特别是随着人在社会中通过受教育、受训练、受约束，所形成的观念、观点、立场、理性、感情、觉悟，等等，也就是说，"灵魂"不是一个独立的东西，是后天才有的灌输而成的派生物。

这当然是无神论的看法。

各种宗教，依我理解，都是承认有独立存在的灵魂的，灵魂会依附在某个生命体上，但也可以脱离那一生命体而存在，并且，灵魂是高于生命体的，是一种更持久乃至于永恒的存在；灵魂是先天而有、与生俱在、死而不灭的；灵魂与灵魂会有区别，甚至于会有大善和大恶那么大相径庭的区别，但灵魂也是可以变化的，坏的可以变好，好的也许会堕落；修炼自己的灵魂，使其美好，令神满意，是至高的、终极的目的。

有的宗教，是认为万事万物皆有灵魂的，从石头土块到桌椅板凳，有的则只限定为"生物"，但范围似又有宽窄的不同，比如有的把植物，也就是花草树木什么的，包括在内，有的则只算动物；但有一点是绝对相同、不必争论的：都判定人有灵魂。

人死了，灵魂呢？无神论者认为，也就不再有灵魂了。有神论者呢？依我归纳，大体有下述几种说法：

（1）灵魂出窍，成为"游魂"，是我们没死的人看不见的。灵魂们自成一世界，而且那世界很可能与我们的世界重叠。

（2）迅即转移到另一刚刚落生的生命上，可能是一个婴儿，也可能是猪、狗、马、羊……乃至苍蝇、蚊子什么的；其转移到某生命的原因，由该人在世时行为的善恶所决定，大体而言，是善者再托生为人，恶者则非人。再死，再托生，原则依旧，这也就是所谓"轮回"。

（3）灵魂出窍，接受神的审判，有的上天堂，有的下地狱，标准也是善恶。上天堂的无比幸福，下地狱的永受煎熬。

（4）好的灵魂，可以不再参与"轮回"，也不是到一个与"地狱"相对应的"天堂"里去，而是超脱到一个非物质的境界中，享受我们难以想象的佳妙。

本世纪以来，随着理性科学与社会革命的蓬勃发展，有神论受到不少的，有时甚至是很沉重的打击，无神论得到极大的、有力的弘扬；但理性科学的发展，其半径扫描的圆周越长，所接触到的未知面便越大，如神秘怪异的天体现象，特别是UFO究竟意味着什么；再如人体特异功能，特别是以"意念"而使物质世界发生变化的现象；还有对基本粒子的考察，捕捉到了"顶夸克"的踪迹后，反倒对物质的深层结构更加"望而生畏"；而射电望远镜一再提高功能后，所观察到的宇宙黑洞，实在令人类更其悚然……这样，神秘主义，便又开始时髦，究竟有神还是无神？到这个世纪末，恰恰是某些在学科研究上成绩最大的科学家，向我们宣布着神的可能，而暴力形式的社会革命日渐式微，自觉稳健的变革逐步成为社会运动的习见方式，这也就为思想的活跃、探究的风尚、信仰的自由提供了充分的可能，于是无神论者与有神论者得以和平相处，谈神说鬼，灵肉分列，乃至于像我这样坦率地讨论"有无灵魂？人死了魂安在？"也便都不仅不感到压力，甚至于还会被讥为"凑热闹"——实在也是，一位青年作家，不是早就不再热心于歌颂无神论者的清官（他曾因此名噪全国），而一连出了好多本谈神秘的书，并且极为畅销吗？到这个世纪末，泛宗教情绪，竟又弥漫开来，这人类群体性的思潮"轮回"，想起来真不禁感慨系之。

晓歌今天上街做头发，恰好遇上这么件事：路过街口，两个年轻人缠住她，死乞白赖要她买书，什么书呢？她被他们说动，买下了，带回来给我看，原来是一本印度人帕布帕德所写的《再回来——轮回的科学》；该书有一切公开出版物的标志，只是找不到译者的署名（难道帕布帕德会用中文写作？），版权页上说，第一版已印了一万册，像这样在街头推销，估计会销出不少；我怀疑是用港、台的版仿印的，这本书对人死后灵魂会如何的回答，基本上是我上面所开列的第（1）、（4）两种解释的综合，不过它所开列的"脱离孽报及轮回的实际方法"，要身体力行并不那么容易，特别是"只应吃灵性化了的素餐"，"避免肉类、鱼类和蛋类"，以及不能有"不以孕育孩子为目的的性行为"。

这位帕布帕德，是位印度教的圣人，他在美国，也搞了许多活动，揄扬他的主张，现在他的旨义，也传进了中国，本来这几年中国的书摊上已有很多宣传有神论的书、讲神秘的书、宗教书、浸透着泛神泛宗教情绪的书，乃至于占卜的书、解梦的书、预言未来的书……这本书的加入，说明这样的一种势头，还只是方兴未艾。

今夜的我，由于翻了翻这本书，把几个亲友家有人亡故的消息所带来的心理刺激，渐渐化为了平静与通达。

我想，不管怎么样，我要好好地活下去。

我想，我有一个灵魂，不管这灵魂是暂时借住在我现在的这个躯壳里，还是一旦我死去他便也随之湮灭，我都要尽可能地提升他的纯净度、良善度、优美度。

我想，即使真有地狱，那也一定是我所不会坠入的地方，所以想起来并无惶恐惊悚之感。不过我对天堂也并不向往，因为我缺乏对天堂的想象力。

我愿意进入轮回么？抑或愿意超脱于轮回，进入像帕布帕德所说的那种"充满知识、既快乐又永恒"的"非物质的境域"？也许我是比较倾向于进入轮回，并再轮回为一个心智健康的新人的，不过，这向往似乎也并不是非常地强烈。

因此，我珍惜"现世"，我惧怕"现世"的突然中断，也就是惧怕灾变性的死亡。

我希望能活到创造力自然衰竭时，无痛苦，或至少是无大痛苦，并且不给亲人们带来很大痛苦和麻烦，那样的一种死法。

在活着的时候，我将孜孜以求地探索灵魂的奥秘。

今夜能坦率地对自己说出这些，可以安稳地睡一觉了。

与澳洲女士碰撞出眼泪来

9 月 16 日 星期五

这是我们双方都始料未及的——

交谈中，我把她说哭了。

Z 女士来自澳洲，我们也算老朋友了，她又一次来北京，给我打来电话，说要来看我，我自然表示欢迎；于是约时间，我约她今天下午两点来，她在电话那边说："两点行吗？啊，你们中国人是要睡午觉的……"我跟她说："我不睡午觉……"她又说："啊，那不必，你照常睡好了……"我便说："那就两点半吧！"

撂下约会的电话，我心里很不痛快。"你们中国人是要睡午觉的……"我不喜欢她这个口吻，这倒并不是因为她是个中国血统的澳国人，而且她也并非生在澳洲，她去那边，20 年的样子；我不明白，她为什么要在给我的电话里这样说，也许她说的只是"你们是要睡午觉的……"而并没有说出"中国人"字样，但那在我听来也还是那么个意思的压缩语；有一点我是听得明明白白的：她说的肯定不是"你要睡午觉吗？"而是用"你们"来启动这句话的，如果她只是问我睡不睡午觉，那确实是礼貌，但张口便是"啊，你们……是要睡午觉的……"听话听声，锣鼓听音，我便感到，那话里拖带出的，是一种优越感：你们中国人有午睡的陋习，真不可思议！想必你亦很难免俗，不过，我是很理解的，也很宽容，好吧好吧，你照旧午睡吧！……

我竟如此敏感！显然，今天交谈中我词锋锐利，将她眼泪逼了出来，在那天电话约会时，已埋下了心理"地雷"，只不过埋在潜意识中，所以一旦爆发，连自己也吓了一跳，现在，又觉得好笑起来，确实，何必呢？

冷静地自衡，我对于外国，外国人，特别是西方和来自西方的人，又尤其是文化人或准文化人，一贯是很能融洽，也颇能沟通的；从心理上说，确实既无自卑感亦无自大心，言谈举止，大体而言，是不卑不亢的；也很有一些外国朋友，或者说熟人，或者说见过面的人，他们向我表示，跟我见面交谈，觉得我很坦率，也颇有见地，甚至相当有幽默感；过度的敏感，是很少发生于我身的。

今天却跟 Z 女士狠狠碰撞了一下。

碰撞的原因固然有好几个层次，一是话题比较尖端，二是我们两人看法大相径庭，三是我们两人都是直性子，说起话来不能适可而止，也就是说，是性格原因；但真碰撞出火花来的触因，还是因为我感到，她话里话外流露出一种优越感，当然，在她来说，那确实是无意的，或者说，是潜意识里冒出来的，因此，应当说是她在潜意识里埋下了"地雷"，让我的自尊心踩了"雷"，而她的自尊心，很快也就在我的"反优越"话语的瀑布下，着了我的"雷"。

回想起来，我心里的"雷"，形成也非一日。记得若干年前，我和谌容同去会见一位外面来的名流，我们是该人点名提出想会见的，由某机构安排的，对方当然是一番好意，我们当然也很愿友好一番；谁知见了面后，该人便滔滔不绝地讲了起来，我们想插进一个问题或稍加呼应，都无机会；该人讲完，因彼还有下一轮活动，便同我们告辞。不知谌容作何感想，我是相当败兴，我相信，那位外国名流跟我们讲那么多话，是为了使我们获得有用的信息，了解其见解，而且讲那么多话也很耗神，"没有功劳也有苦劳"，可是，我总感到该人潜意识里还是有一种优越感，仿佛我们是在低处，只有彼从高处沐以雨露的份儿，也不问问我们究竟想听些什么，更不想听听我们说点什么。这类的事儿，竟不止一桩，比如说，几年前，巧得要命，又是同谌容，应邀与另一位外面来的名流会面，这回带私人性质，是在我国某名流家中，大家围坐一处，确实，都很友好，气氛，甚至堪称温馨，可是，到头来，我心里还是不痛快，因为，这回的名流虽不是一味地滔滔不绝，并且很愿提出问题，让我们说给彼听，但其提问的方式与语气，都很像考学生，而且往往并不等我们答言，便摇头晃脑地发表起见解来，在彼，一定并无恶意，在我，便如同聆听师训，总觉得没有获得一个平等的位置。这一次告辞出来，谌容明确地跟我表示，她也一样地很不痛快。

像上面所说的情况，虽不是很多，却也并非"无独有偶"、"相映成趣"，起码是事已过三、于心戚戚；不过，以往心里虽不大受用或很不受用，倒也从未当场流露出过，更从未形成过碰撞。

Z女士今天竟成了头一个被我迎头撞回的"外宾"，这是她的幸事，还是不幸？

仔细想来，我的敏感、不快、火气，究竟出于什么的刺激？并不一定是Z女士，或上面所提及的外面来的名流本身，他们对我本人没有什么不尊重，至少他们的"上意识"乃至"中意识"里都没那个意思，而他们"下意识"即潜意识里所埋伏的，也不一定是赤裸裸的歧视。那么，是什么？

是因为，他们站在西方文化里，而西方文化，在当今世界上，势头很强，是强势文化，因而，也就很有点"主流文化"的味道，他们所掌握的信息，比我们新，比我们快，量也往往比我们大；他们的思路、话语，百无禁忌，随心所欲；他们可以很方便地在世界上飞来飞去，在中国进进出出；无形中，他们把我们的文化，看成是一种边缘文化，我们这样的不谙西方语言，不能随意出出进进，所知所晓的"多"只限于本土，而一问到外部世界的许多事（包括外部对中国的反应评价分析论述），便立显"少而慢"的人，在他们眼里自然也就是处于世界主流文化之外的边缘化的知识分子；基于此，他们见到我们，当然便会滔滔不绝地给我们补课，这个你知道吗？那个你懂得吗？你怎么连这个都没听说过？你应该知道某某西方理论家的某种最新观点！……当然，有时候他们也会很有兴趣地听我们讲关于中国的现状，可是当我们坦率地把一些不尽如人意的事乃至于阴暗面讲给他们听时，他们往往会扬眉耸肩摊手地惊叹：真的吗？会是这样的吗？……表示在他们那种人文环境里，这些都是不可思议的；也许就事论事他们那边真的没这么些个"古怪"，但他们夸张的反应，总令人起疑：究竟真是在表示惊讶，还是在显示自己所处的"主流文化"社会的优越？一细想，他们的传媒报道类似的事何尝少，又何尝留分寸？

是的，这真是一桩值得我们中国知识分子深思的事，即使我们都用中国话交谈，现在我们也很容易坠入西方强势文化的语境；我绝不是一个反对从外来文化中汲取营养的人，包括从西方音译、意译、半音译半意译出一些新的汉字语汇，我都觉得是丰富我们汉语汉文和整个中华文化中华文明的好事儿，但是事情不能过了头，不能弄得我们一切都必须从西方"回观"，失去了我们自己的视角和自主性，比如说，把据说是西方人看中国的"第三只眼"，奉为"亮眼"、"巨眼"、"火眼金睛"。

不想回忆我与Z女士话语相碰撞的详情了，要而言之，是我激昂地说出，无论如何，定居在中国大陆的知识分子，对中国大陆，才最有发言权，不是说所发的言一定对，但一定是最值得倾听的；而由这些知识分子所继承、发展、广取营养（当然包括西方文化的营养）、不断创新的文化，才是当代中国文化的主体部分，不是说这主体部分就一定好，但一定不可忽视！更需注意的是：那些用自己的话语来表述思想的，才是具有代表性的人物，哪怕那思想还不成熟；而只能用"外来话语"来做文章的，或竟干脆假托是"译自外国"的著作，无论表面多么花哨，都不能估价过高，而那些在西方定居，用西方文字写关于中国的事，在西方出版，主要是给西方人看，那样的中国血统的文化人，他们可能写得真是不错，在我看来，他们都已经不是中国文化人，不能代表中国本土的知识分子及其思想，而是西方文化中的一个小分支，也就是说，他们可能已属于西方文化界中的少数民族作家，他们的著作也便属于西方著作中的少数民族作品。

Z女士的热泪盈眶，据她自己说，是因为我的激动，我的尖锐，我的坦率，令她心热；我却觉得，除此而外，我伤及她的自尊，她觉得委屈，"我没有那个（居高临下）意思呀"，也是一个重要的因素。

Z女士临告辞的时候说，她收获很大，她多次来中国，从未有人这样同她争论到激动的程度，她以后一定还要来同我对谈，在相互碰撞中，获得更多的启示。

我现在却告诫自己：下不为例。

而且，我感到，今天发生这样的事，与我近日的心绪走向有关，这种心绪也不能任其无阻无碍地往前蹿去。

我现在是处在多么微妙诡谲的人文环境中啊！

需要更理智，更通达，也更潇洒。

……

很晚接到 Z 女士一个电话，好像我们根本没发生过碰撞一样，闲闲地说及一件很具体的事。

我在微笑中结束今天的日记。

白夜的联想

9 月 22 日　星期四

忽然接到哈尔滨《生活报》编辑的长途电话，说他们的副刊《北极光》创办 10 周年了，让我给写篇短文，鼓舞一下。算来这几年我在他们副刊也很发表了几篇散文，其中一篇《为他人默默许愿》还被台湾幼狮文化事业公司特别看中，当做了我在他们那边所出的散文集书名，而北极光所造成的白夜，我也确实喜欢，所以答应了他们。

从很早起，我就喜欢陀思妥耶夫斯基的作品，长篇且不说，中篇里，我最喜欢的便是《白夜》，且不说那小说的人物与情节，最让我动心的，是那份情调，那种钻心镂肺的忧郁，那不是坏人心智的黑色忧郁，那是满怀着对善、美的向往，而由于自身的渺小，而生出的极光般的忧郁。1953 年，斯大林去世，引发出苏联的第一次变化，出了个赫鲁晓夫，他做了一个秘密报告，在那报告里，他骂了一部电影，叫《幸福生活》，说那片子的编导是在向斯大林谄媚，该片的导演培利耶夫因此倒霉，不能再像以前那样红火，有几年简直不能拍片，可是，到 1960 年左右，培利耶夫终于再度出山，他当然不再拍反映现实生活的片子，他一头扎进了陀思妥耶夫斯基的作品，连续改编拍摄了好几部陀氏的作品，其中有两部曾在中国配音上映，一部是《白痴》，一部便是《白夜》。《白夜》这部电影我看了好几遍，成为影响我青年时代审美心态的重要艺术品。后来培利耶夫在拍摄《卡拉马佐夫兄弟》的中途去世，现在苏联这国家也没有了，真是人事沧桑。

黑白分明，特别是一到白天便有灿烂的阳光，当然是最理想的生活。但由于种种原因，有时我们并不能永处在如此理想的环境中，比如说靠近北极圈的一些地方，有时就会出现一种好几个月里，天际总悬着若明若暗的北极光的日子，天该黑的时候不黑，那便是白夜。记得前年冬天，我在瑞典的斯德哥尔摩，那座童话风情的城市虽还未落入北极圈内，实在离得也不大远了，所以，每天下午四点来钟，天便暗了下去，而第二天要到差不多上午十点来钟，天光又才转亮，在天暗的那十几个小时里，实在也并非漆黑一片，而总是灰黛色的氛围，那虽然并不是白夜，于我而言，却很有相近的感受。当我漫步在斯市的海桥上，听轻涛啜岸，看天鹅浮游，而教堂的钟声悠悠鸣响，那时，我便感到外在的天色，也融进了自己的躯体，内心里涌动着莫名的悸动。由此我想到，我们每个人的心理时空中，也会出现类似白夜的情景，白夜自有其可爱的一面，如果我们能调动起自己心灵深处对真、善、美的强烈渴求，那么，白夜式的忧郁便可化解为一种难得的理解、谅解、宽容、亲和的心怀，促使我们在生活里更积极、更和谐地与他人，与群体，相配合，相提携，从而使我们的生活，更实在，更美好！

当然，这只是我个人对北极光的一种感受，一种理解，一种企盼。宇宙无限，世界很大，生活常新，心情也常变，我想，连关于忧郁的联想，也能化解为一片祥和之心，那么，原来见到北极光便欢悦的人，他们的联想，该更加灿烂，也更加伟壮吧！

又：《世界文学》杂志的编辑约我写一篇评论，可以评任何一部外国文学作品，我想，那就无妨写一篇关于陀思妥耶夫斯基的《白夜》的文章，实在，我有话说。

心灵探索的"三齿耙"

9 月 24 日 星期六

今天又有远客来。问及前些时报上的一条报道,该报道冠以"名家售书,购者寥寥"的标题,说是我 6 月在上海图书馆售我的文集,只有三个人买。记者的立意,在为"严、雅、纯"的文学之失落鸣不平。其实此报道不确。因为那天在上海图书馆的一个分馆所搞的活动,并非签名售书,而是一次座谈。实际销书者从北京带去的十套文集,在座谈会前即已全部被定购一空。座谈会后,有三位与会者顺便拿出所购到的文集,让我当场逐册签名,事情的全貌就是这样。

不过,"严、雅、纯"的文学创作,尤其我这样的作家所写出的"沉甸甸"的作品,在目前的世道中,确实已再无领风骚的可能。

虽说如此,我这样的创作者,欢迎这种创作的读友们,仍有我们也不算太窄狭的享受空间。

回忆那夏日的情景,当我坐在上海图书馆分馆的会议室里,面对着虽然不多,却都是诚心而来的听众时,真有一种如梦如幻的感觉。

是的,没预料到。

当我断断续续、写成一些又撕掉一些、重写许多又反复调适,终于在 1992 年初秋完成了长篇小说《四牌楼》时,我所想到的只是:能找到一个愿接纳我的出版社,能遇上一个能理解这部书稿的编辑，能顺利地印成书，能有不多的人买它、读它，也就行了。

我不曾有过梦想，无论睡眠中的梦还是所谓"白日梦"里，我都不曾有过《四牌楼》受褒奖受欢迎的幻象。

我清醒地认识到，无论从什么角度看，我都已从"中心"向"边缘"转移了。不仅所谓的"商业大潮"已宣布了我这种不以畅销为目的的小说必得"靠边站"，刻意创新的锐进一族在与我相处友好的同时，也以他们并不针对我的美学宣言，令我自知：不管我的小说里融进了多少新潮的营养，毕竟我小说的骨架还是"写实"，所以纵使写得再好，也不过是一种"古典"式的美学掘进，其时代价位，是不可能高的。

我对这种从"中心"向"边缘"的转移，是不仅处之泰然，而且甘之如饴的。我的所谓"边缘化"，其实是相对而言。离"最边缘"，还远；更无"出局"之虞。

进入 90 年代，我算是找准了自己最恰当的位置。

却忽然得到通知：我的《四牌楼》，在上海市第二届长中篇优秀小说大奖的评定中，荣获了二等奖，并且是惟一的二等奖。

喜出望外，去上海领奖，并参加了上海文艺出版社组织的，在他们的读者服务部的签名售书活动，再版的《四牌楼》，一个上午，两个多钟头里，买书的人竟络绎不绝，有的从很远的郊区赶来，若干购书者还留下了他们的名片，希望建立联系，名片的头衔有经理、教师、处长、军医、制片人……事后据说共卖出了约三四百本，会这么多吗？

上海图书馆提出，要收藏《四牌楼》的手稿。他们此前还没收藏过我这一辈的作家的手稿。为此，馆长还在百忙中亲自来参加接收仪式。

这一连串的幸运，都很容易使我糊涂起来，以为自己"重返中心"了。

可是，当在上海图书馆分馆的会议室里，与二十多位与会者围坐在长桌边时，我终于还是清醒过来。

清醒，可为什么感觉上还如梦如幻？

是因为,超级的清醒,如同绘画里的“超级现实主义”一样,反派生出奇诡的效应。

一位与会者对我说:“希望你一定坚持你这样的写法，我们需要！”

他在文学读者的群体中，大概属于不算太多的那个“子系统”。我们对视着，很有点相濡以沫的味道。

我作了《文学与心灵》的讲话。他们静静地听。

我的讲话没有进攻性，同我这个人一样。

我不掌握也没有资格掌握并且也不想掌握“中心话语”。我只想说说自己，说说我的处于“边缘”地带的，也许确是比较古典的美学追求。我所希望的，只是现在的自己同以往的自己比，在坚持的前提下，又有新的掘进，并且在吸收包括“中心话语”和更其“边缘”的种种话语的营养方面，也更通达。

我认为写实的文学，没有，更不会死亡。

当然，那种镜面似的描摹现实的小说，也许确会被淘汰。视听文化已如此发达，用文字去跟它们拼，你怎么拼得过?

但是文字自有其威力与魅力，往往恰是视听文化乃至造型艺术所难以企及的，那便是对人的心灵的深入、细腻的开掘。

我所追求的，便是从写实入手，去探索人的心灵，或说是灵魂，干脆说是人性。

我使用一张“三齿耙”。

它的第一个“齿尖”，对着自我。常常惊悚：怎么自己的某些“心思”，竟也埋藏得根植得如许之深？而且，有些最本原的生命冲动，究竟是怎么生发的？在心灵的最漆黑浓酽的地方，所闪动的，是磷光还是熠火？层层剥去那外面的包装，撕开往深里探究，宁不悲苦？

它的第二个“齿尖”，对着他人。所爱者，所仇者，爱恨交糅者，超越情感者，那大千世界中的芸芸众生，他们的所作所为，生死歌哭，悲欢离合，其隐蔽于深处的，也应是人性的涌动激荡，能窥见几分么？偶有洞若观火时，不胜诧讶么？不胜唏嘘么？

它的第三个"齿尖",对着大大小小的集群,对着不断变幻的"集体无意识",也就是"群魂"、"族魄",那些威武雄壮的群体行为,那些紊乱无序的族间冲撞,其底蕴,究竟是些什么无形而有影的东西? 是些何等诡谲而可辨的因素?

或问:为什么只是一张"耙"? "耙"能触及多深? 可能仅及"浮皮"。

当然,这只是一个比喻。蹩脚吗? 姑存之。

文学之"耙",当能比农用之"耙",更深入一些吧。

但这"耙"的三齿,也并非想起社会科学论文的作用。社会科学中的人类学、生理学、解剖学、心理学、医学、性学、社会学、行为学、现象学、符号学、语言学、逻辑学、紊乱学……虽然都间接或直接涉及人性,却都不足以另确立出一门"人性学"。文学之"耙",也不是想来创这个学问,一"学问化",离文学的本性便远了——文学是必须有浓厚的非理性因素来宰制的。

我的《四牌楼》,便是用这文学探索的"三齿耙""耙"出来的。是的,"耙"得还不够深,但也还打动了一些人,包括不少的评委,更有勋勉我"不要放弃此路数"的热心读者。

离我们座谈的地方不远,便是万丈的"后现代"红尘,是活生生的"同一空间里不同时间的并置",里弄里拎马桶的老妪与刚从"伊势丹"买回金手链的少女没工夫互相鄙视,吃完肯德基炸鸡的少年与踱出老城隍庙的老叟全都心满意足,看完《天龙八部》的闲人与奔忙的出租车司机更能和平共处,而暗斗的商人与明争的小贩各自吞咽着他们的苦乐……是的,许许多多的人,他们所需要的是直观的、简便的、快餐式的、卡通化的、一次性的、强刺激或绝无刺激的、软性的、花花绿绿的、省力省心的、拼盘式的、一次够的、一步到位的文化消费,"严、雅、纯"的文学? 对不起,管你"写实"还是"造境",古典还是新潮,容易读还是"读不懂",他们统统"不感冒"!

所以,我在那座谈会上,思路虽极清醒,感觉上却"相对如梦寐"。

我与我的支持者,我们,小小的一群,有一个属于我们的共同的"境域",那是位于这历史时期的文化中心有一段距离的"边上"，在这我们自己的园地中，我鼓舞自己，他们勉励我，仍以"写实"为风骨，挥动"三齿耙"，埋头创作我的小说，造我的"楼"。

所写的"实"，是心灵之实，人性之实。不是以往的那个现实主义，也许，可以称为"心灵现实主义"。

"其实,我营造'非现实'的文学世界,也为的是逼视人的灵魂,解析人性的奥秘!"一位同行曾这样对我说。

是的，我们可以殊途同归。

当然，也可能殊途而各奔一方。

探索心灵，叩问：我是谁？你是谁？他（她）是谁？……从单数叩问到复数，到群体，到整个人类，最终叩问个体生命与整个人类生存的终极意义，并问及死亡究竟是什么，死后的那个"彼岸"究竟有没有，如有，又是什么？——这是我的"三齿耙"最终极想触及的层次。我是一个有终极追问欲的小说家。

我知道，另有不要这种终极追求，甚至嘲笑这种"终极追问欲"的小说家，他们确也能写出很精彩的小说，有时就恰恰精彩在那嘲笑上，我读他们的那种小说，并能为他们那嘲笑到我头上（他们不是针对我而来，是我"对号入座"）的泼俏文笔而击节赞叹。

我并不认为我的追求最正确最正当最美好最尊贵。

我只是在一隅，做些自己喜欢做的事。

我懂得，那些与我殊途同归的小说家，他们也无非如是。

我们各占一角，各做各的事，各出各的小说，这很好。

从上海归来好几个月了，现在在自己的书房中，在电脑上敲出了这些句子，心里格外地平静。

一个新的长篇，已经开笔。

远方来客问，这新长篇里，究竟会向读者提供一些什么新的东西？

我照例保密。

其实，我也很难说清。我当然要提供新东西，但那首先是为我自己，为我这起了皱的灵魂。

我先默默地耕耘吧，挥动我的"三齿耙"。

也许，明年春天，会是收获的季节。

边缘有光

9 月 25 日 星期日

大约三十年前，一个才二十啷当岁的青年人，他从北京西四附近的红楼电影院出来，天已黑，路灯暗，行人稀，北风寒，他竖起衣领，双手揣袖，踽踽独行，回味着刚看完的苏联电影《白夜》，心中不禁喟叹：我，便是电影里面的那个男主人公啊……

在那个时代，他有机会看到那部电影，并且，他看了好几遍，在红楼电影院所看的那一场，片子已经"下雨"，声带嘶哑，夜场演这部片子，观众寥寥，他可以尽情地热泪盈眶，而不必顾忌旁边有人发觉……当然，他不能将心中的感受向旁人倾吐，那其实已是滑向"文化大革命"的岁月……

那个年轻人，便是我。

我是在看过《白夜》这部电影以后，才找到陀思妥耶夫斯基的小说《白夜》来读的。我惊奇于电影导演对原作的精确"转换"。把文字的东西转换为声像的东西，要么尽失文字的底蕴，要么化平庸为奇诡，很难让人感到"恰可好"。而我所看到的文字与电影，却交融于我心中，浓酽的韵味，如醇酒般久久地令我陶醉。那是我青春期所得到的宝贵文化滋养之一。

陀氏的《白夜》多次被搬上银幕。我所看到的是苏联莫斯科电影制片厂 60 年代投拍的，导演是培利耶夫。饰演男主人公的是当时正走红的影星斯特里席诺夫，饰女主角娜斯简卡的是当年的一位新手，但她在这部影片里的出色表演使她一炮走红。

陀思妥耶夫斯基一生著作丰富，中篇小说《白夜》是他并不重要的作品。换句话说，不处于他创作丰碑的中心，是一部"边缘"性质的作品。

我所看到的那部电影《白夜》，其导演培利耶夫一度曾是苏联最红火的大导演，长期置身于苏联的文化中心，他的妻子是一位处于同样状态的演员，他们"夫妻店"拍出了一大串不仅获得苏联官方赏识，也深得当时观众欢迎的影片，主要是喜剧风格，如《女拖拉机手》、《养猪女与牧羊郎》、《未婚妻》等等，当然最突出的还是那部鲜艳十三彩的《幸福生活》，中国及时译制，广泛放映，其中的插曲，如《红莓花开》，在中国不仅风靡一时，直到今天，仍不时地被安排在广播、电视乃至舞台演出的现场演唱。

1953 年，斯大林逝世。1956 年，苏联出了个赫鲁晓夫，他刚当上第一把手，便发表了一个秘密报告，大反斯大林，在那个著名的秘密报告里，他点了电影《幸福生活》与培利耶夫的名，指控这部影片是"粉饰生活"的坏典型，而培利耶夫拍这样的影片，是向斯大林谄媚，是助长"个人崇拜"的可耻行为。从此培利耶夫从苏联政治文化的中心被抛向了边缘，有好几年的时间，他简直销声匿迹了。

但到 60 年代初，培利耶夫又拍起电影来，当然不是回到中心，不再拍"主旋律"，并且告别了他本是驾轻就熟的现实题材与喜剧风格，他自觉地"靠边站"，拍"边缘性"的电影。

如果说现实题材是苏联电影创作的中心，那么改编古典小说，便是边缘题材。

如果说改编普希金、契诃夫等的小说是改编古典名著的中心任务，那么，改编陀氏的小说，便是一种边缘任务。因为，众所周知，苏联的革命文艺理论，其很大一部分资源来自旧俄的别林斯基、车尔尼雪夫斯基和杜勃罗留波夫的美学见解，而他们三人，后来都对陀氏创作持严厉的批判态度，晚出的高尔基，说起陀氏来更有点深恶痛绝，认为他的著作是"拌蜜糖的毒药"。

　　培利耶夫一连改编了陀氏的好几部作品，有《白痴》、《卡拉马佐夫兄弟》等等，他真是意驰神迷，呕心沥血，《卡拉马佐夫兄弟》未最后拍竣便嗒然而逝，也许并不能算"以身殉职"（谁非要他拍这种题材？），但可以说他是"以身殉志"。从中心被抛到边缘的培利耶夫，一定是有了"顿悟"，在边缘处找到了自己最好的艺术感觉。确实，我们现在如果连看《幸福生活》与《白痴》两部影片，那么，我们虽不一定会同意赫鲁晓夫打在培利耶夫头上的棍子，可是，我们会说，《幸福生活》充其量是一部拍得很好看的宣传品，而《白痴》却肯定是一件艺术精品。在培利耶夫所改编的陀氏作品系列中，《白痴》、《卡拉马佐夫兄弟》又是他改编的中心，《白夜》又成了他改编系列中的"边缘之作"。

　　可是我却最喜欢《白夜》，从陀氏的小说到培氏的电影。

　　现在我才来说到《白夜》的文本。我指的是《白夜》的译文。我现在翻开的是上海译文出版社 1986 年版的陀氏中短篇小说第二册中荣如德的译文。

　　说实在的，《白夜》的情节是幼稚的，甚至，仔细推敲起来，那情节中是有漏洞的。

　　叙述的角度，与陀氏的开山作《穷人》类似，《穷人》是书信体，《白夜》类似日记，都是第一人称，主人公都有点絮絮叨叨，卑微，敏感，腼腆，忧郁，而且，他们所遭逢的，都是一个清丽、纯洁、坦率、稚弱的姑娘，最后的结局，是一样的悲惨，男主人公在失爱的怅惘中，苟活人世，喘息残生。

　　那么，《白夜》的特殊价值何在？魅力何在？

　　我以为，《白夜》最难得的，是把圣彼得堡的白夜氛围，融进了主人公的魂魄中。

　　地处北极圈，这便是一种离开了"中心"的"边缘"位置；非规范的夜，该黑不黑而呈"白色"的夜，这也是一种"边缘"状态；而小说中的"我"，最锥心的感觉，便是"大家都把我孤零零地撇下，大家都不理我"，在那个白夜来临的夏季，仿佛整个圣彼得堡的人，"他们都离开我滑到乡下去了"！被忘记被忽略不计比被侮辱被损害更可怕，在"第一夜"中"我"的自言自语里，读者可以获得相通的生命体验，因为，在这个熙熙攘攘的世界上，凡内心丰富一点的人，哪怕基本上是个"成功人士"，也总会至少在某时某刻忽然有一种被冷落被欺瞒被叛离被抛弃的惶悚感，忧郁与苦闷，会涌上心尖，这种感觉，其实就是从"中心"滑落到了"边缘"，或总是滞留在边缘、接近不了所向往的中心，那么样的一种灵魂悸动。这灵魂于是挣扎。小说中的我是通过在布满蛛网的天花板下，抽着烟斗，胡思乱想，以粗陋、廉价的罗曼蒂克幻境，为灵魂注射麻醉剂，来消解这无可奈何的人生的。

在"第一夜"里，"我"巧遇了娜斯简卡。这是一个在白夜的河岸边等候归来的恋人的纯情姑娘。"我"当时并不知道那姑娘究竟为什么会一个人出现在清冷的白夜中。但这于他来说相当罗曼蒂克的邂逅，是他那枯涸的"边缘"状态中的一泓甘泉，他确实并无非分之想，但他感到得大慰藉。我以为陀氏此作由此已开始挖掘到"边缘人"的焦虑心理，及其渴望从被遗忘被忽略的状态中自救出来的灵魂挣扎。

"第二夜"里，"我"与娜斯简卡互诉身世，娜斯简卡与失明的奶奶住在一起，最令人难忘的一个细节，便是奶奶为了管住娜斯简卡，每天用一只大别针，将她们祖孙的裙子别在一起。这只大别针不消说是一大象征。一定会有不少读者读到这里时，会痛切地感受到这一"祖母的大别针"的刺心苦味。被别上这样的别针的人，当然不仅不能离开最边缘的一隅，而且，简直连对"中心"的想象力也会丧失。然而娜斯简卡的生活里出现了一个来自"中心"，并且还要回到更其"中心"的年轻男子，他的一大壮举，就是把娜斯简卡，顺便也把奶奶，从封闭的边缘，带到了戏院，观看轻歌剧《塞尔维亚的理发师》。戏院和这出法国戏，是一种通向社会"中心"的象征性纽带。从此娜斯简卡的眼界心境都开始展拓，终于，她默默地爱上了那年轻的房客，以至于，在那房客要离去的前夜，她竟提着一个包袱，去到房客所住的顶楼，要与房客一起私奔！房客大吃一惊，开始拒绝，末后，为娜斯简卡的真情所感动，便与她约定，一年过后，再回圣彼得堡接娶她，而相会的地点，便是这河岸边。"第二夜"以"我"答应替娜斯简卡送一封代转信结束。之所以要送这封信，是因为娜斯简卡已经知道，那青年男子已回到圣彼得堡三天，却并未露面。这里便明显有情节设计上的漏洞，至少令人感到矫情，不过这不重要，重要的是，"我"因此处在了尴尬不堪的情境中。这倒还并不是爱情什么的,而是,他本以为娜斯简卡比他还要"边缘",因此不仅可以同病相怜,更可以慷慨慰恤,可是那青年房客的出现,却一下子使娜斯简卡处在了极有希望从"边缘"向"中心"转移的轨道上,而"我"却又一次要被抛向更其边缘的冷角!宁不悲乎!

在"第四夜"里,正当娜斯简卡在左等不来人、右等不见影的绝望中,下决心与"我"共守"边缘",在角落里度过余生时,那来自广阔世界的青年人忽然戏剧性地出现,并且一阵风般地卷走了娜斯简卡,于是,"我"彻底地沉入了边缘的黑暗与孤独中。

最后一节是"早晨",娜斯简卡来了一封信,企求"我"的理解与宽恕,而"我"也果然宽恕了她,并喃喃地为她祝福:"愿你的天空万里无云;愿你那动人的笑容欢快明朗、无忧无虑……"

"我"失去的不仅是梦一般美丽的爱情,而且也是重整"边缘生活"的契机与活力,当然更无望向中心转移。

但是,掩卷以后,我们却又为"我"庆幸,因为,他没有丧失对一个人来说最宝贵的东西,那便是无私的善意;在白夜中,极光给人以希望;在边缘处,仍有人性的闪光;"我"没有以恶为代价,去谋求向"中心"的移动,也没有破坏他人的"移向中心",这毕竟保持着为人的基本尊严。

三十多年过去了,当年那个在皇皇都会中,处在很边缘、很卑微、很软弱的地位,曾迷恋过《白夜》这样一部并不怎么伟大的作品的青年人,他后来居然神使鬼差地,一度比较地"中心",但没有多久他又"边缘化"了。他懂得,一个社会,是需要中心的,当然也就需要"中心人物",或说是"风流人物","领风骚的人物","明星","大腕",可是,并不是每个人都适合于待在中心的,更何况,风会刮过去云会散掉,只能是"各领风骚若干时"而不可能"独领风骚"、"永领风骚",星会陨落,腕无长力……每一个人,到头来还是尽早地归位于最合适的立脚点才好。在那站立得最坚实的地方,不管是怎样地"边缘",以良善之心,独创之艺,是一定会耕而有获的。他觉得自己在比较边缘的地方,就反能更从容地抒发性灵。

　　这就说明，他的喜爱《白夜》，有很私密的因素，与任何一种批评模式，与文学史的角度，都基本无关。现在他公布出这一份私密，企盼着人们理解，这，毕竟也属于解读作品的一种方法。是吗？

　　这篇日记已寄给了《世界文学》，不知他们登不登。加了个题目：《边缘有光》。

跟自己约谈

10月5日 星期三

最好是在私密的空间里。比如说，在卧室里，并不端坐沙发，也不倚在床上，而是干脆坐在地毯上，背靠床垫，取一个最放松的姿势；手里，可以握一杯淡酒，也可以端一杯茶或咖啡；双眼尽量移向窗外，望不见景物，那么就凝视天宇，如果没有明媚的天光云影，那么，即使是灰蒙蒙的一片，也不要紧，也可以从中捕捉出令心门开启的玄机……

当然，最私密的空间也许倒最不方便，比如说，配偶也在卧室，而又并不能与你彼时的心境相契，那么，你上述的行为，即使解释得很清楚，到头来也还是别扭，所以，就不如一个人到外面，或楼间绿地，或公园一隅，觅一个安谧的角落，静静地坐下来……

其实，最要紧的还不是客观环境与氛围，在某些时候，即使倚在闹市区的过街天桥扶手上，或一个人坐在人声嘈杂的饭馆茶肆那无人对视的位置上，也都可以达到目的……

那便是，你有一种不可遏制的需求——跟自己约谈。

我们已经陷于这样的人文环境里：不仅目不暇接、杂音袭耳、鼻难确嗅、舌结味乱、身疲力竭，而且，最要命的是，我们的心——心情、心绪、心思、心意、心愿……包括整个的心理结构、心灵韵律，全都往往不由自主地波动起来，而且往往还波动得相当地凶险奇诡，因心惊，而动魄，乃至于失魂、丧命，都并非危言耸听，实在是务须预防之事。

所以现在广播电台的节目里，带有心理咨询性质的热线直播最受欢迎，电视台也开设了"敞开你的心扉"一类节目，朝着这一社会需求抛出来的印刷品就更多，这意味着，人们普遍认识到，通过与他人对话，尤其是通过与可信赖者的娓娓谈心，是开启心门、解开心结、放松心弦、调适心音、优化心韵、增强心力的极好手段。这种社会性约谈的风尚，标志着社会的进步，也展示出经受了个人与大大小小的群体的心灵悸动后，我们民族通过亲和性的对话调谐，所可能达到的一种互补互容、相剔相依的新境界。

不过，过多地依赖于跟他人约谈，企图完全通过向他人"敞开心扉"，如聆佛音般地把解决自己心灵痼结的希望，寄托于由彼及此的慰藉与启迪，长此以往，会产生出始料不及的负面效应。据一位在电台主持热线直播节目的朋友告诉我，他发现，他那个节目的听友里，已经出现了为数不算太少的"瘾君子"，就是一到那节目开播的时间，便手不释电话地往台里拨号，一旦拨通，事无巨细，缕叙难止，而无论你怎样回答，都称谢不已，他们对参与这种约谈，已然上瘾，很难设想，一旦他们没有机会参与类似的约谈，其心理状态该怎样地遇挫而碎。

最近一个时期，还从报上看到了这样的报道：某电台的热线直播节目主持人，原是天天为他人排解心理郁结，在听友中被奉为"灵魂名医"的，却忽然自己跑去自杀，原来临到他自己出现心理危机，也并非什么奇诡至极的难题，不过是失恋之类的打击，本是给别人娓娓地、细细地、透透地开过心理药方，并得到过所治愈者由衷感激的，自己来了急病，竟失方无策，判若愚人，做出蠢事，宁不令人叹息！

这就更说明，除了与人约谈，在交流中梳熨心灵，或求得自我心理平衡，或享受沐人心灵之乐，这之外，实施灵魂的自我按摩、自我疗治，也就是跟自己约谈，对于我们每个人来说，是多么地重要！

　　跟自己约谈，当然更需要十二万分的善意。"我恨我自己"，这是轻易不能启用的"自我对话"前提。一般来说，自己对自己，毋庸惭愧，更无须忏悔。首先需要的，是冷静地从旁审视自己的真实处境。比如，无妨把自己化为"他"，轻轻地叩问：他这些天在为什么烦恼？值得为那个烦恼吗？如果真的值得，那么，有几种摆脱的方法？其中哪一个较好？可行性如何？如何行？……或者是：他怎么仿佛没事儿人似的？真是没什么可担忧的吗？替他设想一下，如果出现了某种忧患，该怎么排解，特别是，如何防患于未然？……

　　也许，凡庸的小我，还能与潜在的大我，进行一些，或哪怕只有一点点的，形而上的交谈；比如说，探讨一下"我究竟生活在怎样的时空之中"？这就不免要探究"时代"，要分析所生存的"人文环境"，要寻找出自我与他人、与群体的亲和途径与方式，当然也要寻求一个保持个人尊严与发挥个人才智抱负的最佳线路……如果已不是第一回这样地跟自己约谈，那么，当然，除了温习旧课，最大的乐趣，便应是从最新的人生经验里，吮吸新的汁养，来丰富、调整原有的良知结构，使其更宽宏，更坚实……

　　"你说的这种跟自己约谈，是一种高级的精神生活吧？是不是很接近于前人所说的'慎独'？"

　　确实是一种不仅高级，而且优美的精神生活。不过，不完全是"吾日三省吾身"，甚至于，主要不是"省身"，因而不能与"慎独"画等号，它更多的，应是自我肯定，自得其乐，自我解嘲，自我幽默，概言之，是一种必要的灵操。

　　燕雀的啁啾，狮虎的啸吼，都说明动物之间既有相对交谈，也有独自吟叹，但动物是否能"跟自己约谈"，特别是作形而上的探究？没有丝毫证据能肯定这一点。所以，能"跟自己约谈"，这应也是人与鸟兽的重大区别之一。要不枉为人，便应好好发挥这一人性优势。

　　一对中年夫妇，有一天晚上，发现他们16岁的女儿，坐在她的床上，倚着床栏，呈现出一个凝神而思的优美姿势，轻轻唤她，竟无知觉，这是史无前例的……夫妻对望一眼后，蹑脚离开女儿那里，来到一边，又互望，眼波里有无限的欣慰与感慨：他们的女儿，也许就从这一天起，开始了心性的成熟——很显然，她是在进行人生中头一回的"跟自己约谈"……

愿有越来越多的中国人，善于跟自己约谈。

惟其善于跟自己约谈，才能更好地与他人交谈。

自我拂拭的心，与互相梳熨的心，所构筑出的心链，将牵引出怎样璀璨的一个世界啊！

大叶绿萝图腾柱

10 月 7 日 星期五

昨天下午发生了一件很伤我心绪的事。虽然事后一再提醒自己，千万不要落入其意在干扰的陷阱，晚上却睡得不好。这说明我的心理应变能力，实在也还不高。特别是，昨天的日记里，刚以抒情散文的笔调写到"跟自己约谈"的必要，并且举了某电台热线直播主持人的例子，说是替人排解心理郁结易，而为自己化淤消烦倒往往甚难，昨天竟差一点在自己身上也应验起来。

今天起床后，洗漱毕，进完食，便决定采取积极措施，把心中的余闷游躁，扫除尽净。"跟自己约谈"，看来也还不够，于是，走出家门，仰望秋阳，顺着波光粼粼的护城河，一直走到地坛公园南门，进南门，穿柏林，让双眼在柏树下青翠茸软的草坪上好一顿洗刷，又望望红墙黄瓦，眺眺远亭僻榭，徐徐踱过银杏林，安然走出北园门……最后，来到兴化路农贸市场，一不逛肉市鱼摊，二不看菜蔬瓜果，迤迤逦逦，来到卖花木的地方。

如今的花木贩，虽说也还在卖君子兰、夜丁香、仙人球一类的传统花卉，但其主要的节目，已经是目前风行全球的耐阴观叶植物，如巴西木、花叶万年青、合果芋、红宝石、椰棕、蕨草等等；我在那高高低低、大大小小、琳琅满目的花木中，一眼看中了几盆大叶绿萝图腾柱。

这种大叶绿萝，叶片最肥大的，超过人脸的面积；所谓图腾柱，就是用棕毛裹成的圆柱，直立地固定在花盆里，绿萝长出来后，不断地将气根扎进棕毛里面，据说棕毛提供的营养，与土壤相差无几；一般都围绕柱子种植三棵，三棵绿萝最后朝四面错落有致地展开叶片，形成自下而上的一丛碧绿，望去煞是喜人。

绿萝，以及这种栽植法，来自西方。为什么叫图腾柱？那是因为，美国，还有加拿大，那里的土著印第安人，把一些雕刻绘制得很奇特的木柱，屹立在村落里外，意味着他们所崇拜的神力，那种多半是圆形的柱子，被称作图腾柱，故而后来西方人将某些植物培养成柱形时，便把那些植物也称作图腾柱。不仅绿萝常被培养成图腾柱，像红宝石、合果芋、龟背竹等观叶植物都是图腾柱的常选品种。

这些年来，中国兴建了不少的宾馆饭店，里面大堂所摆放的，大体上都是些大盆的观叶植物，除了散尾葵、巴西木、鹅掌楸等品种外，最常见的，就是大叶绿萝的图腾柱。在西化的写字楼的办公室里，也很时兴摆这个，栽在盆里的基本都是观叶植物，花是一般都切下来插在瓶中或布置成有创意的花插。现在这已成了"大势"。其实我们老祖宗的讲究不是这样的，是时兴在屋里也要摆栽在盆里的观花植物的，如冬天要摆红梅、白梅、腊梅，春天要摆迎春、榆叶梅、碧桃，夏天要摆茉莉、什锦牡丹、倒挂金钟，秋天要摆丹桂、金橘、瀑布菊……可是现在能保持这种讲究的场所是越来越少了。其原因，可又是被"西方强势文化"搞了"后殖民"？我想了想，赛义德的"东方主义"或"后殖民主义"理论在这里很难派上用场，这恐怕还是因为，像中国传统中的那种室内花卉布置法，美而雅自不消说，但成本太高，费工太多，且很难培养出高大耐放的品种，所以不适应当代社会大量"公众共享空间"所需的大量配置，并且，当代人的共享空间越来越高大宏敞，也只有现在遴选出的这些大型的盆栽耐阴观叶植物，摆放起来才比例得当，人们活动其中，空间感才相宜。这就同西装一样，已不能说是"西方文化"了，它已被从朝鲜到伊朗，从中国农村到非洲城市，无数不同肤色、不同信仰、不同制度的人士所取而穿之，因此，它就已是一种"人类共有文化"。

　　以前我在大饭店里喝咖啡，一方面觉得那些大型盆栽的观叶植物很优美很提神，一方面又不禁生疑：就算这些植物耐阴，可这样长期摆放在往往是根本不见自然天光的环境里，怎么能养得如此碧绿滋润呢？他们的花木工，怎么都那么神仙呢？后来我才晓得，那些大盆的观叶植物，都是大饭店从花木公司租来摆放的，虽然我们每次进入饭店都会看到在这里那里的固定位置上摆放着某一品种某一规格的植物，其实，它并不是永远摆放在那里的，而是定期有人来更换的，从大饭店里更换出来后，它们会被放在露天或玻璃暖棚里补充阳光与地气，恢复到最佳状态，然后再被送回大饭店，跟那里的植物换班。因此，我们在大饭店所看到的那些植物，很可能根本就不属于大饭店，是大饭店从花木公司租来摆放的，行话就叫"租摆"。

　　我一直向往在自家的客厅里，也摆放一盆大叶绿萝的图腾柱。我甚至与花木公司联系过，可是他们拒绝了我，因为他们只做几十盆上百盆的"租摆"生意，并且随着一座座新大厦的落成，他们光是应付"大户头"已忙不过来，哪有揽小户的兴致？并且，因为租摆植物需要定期派人派车，真给小户服务，小户也付不起那昂贵的租金，所以，我的向往，长期以来，便只是一个梦。

　　没想到今天竟好梦成真。卖大叶绿萝图腾柱的老大爷见我有心，便详细地给我解释，说是实话实说，确实并非所有的耐阴观叶植物都能适应非租摆的家养，比如散尾葵在楼房里就很难养活，而绿萝却很皮实，它对光照和地气的依赖都不是太强；我家是养有小叶绿萝的，平时并未怎么特意地照拂，记得一年前不小心让它受了冻，死了好大一截，后来剪掉坏枝叶，重新培植，它很快缓过劲来，现在仍在不断地抽枝拔叶。大叶绿萝与小叶绿萝是亲戚，素质想来不会相去甚远。这样，一方面是卖花老大爷推销，一方面是我实在喜欢，便以300元成交，由老大爷用小三轮，把我挑中的一盆大叶绿萝图腾柱给运到了我家。

　　呵！这盆大叶绿萝图腾柱，给了我怎样的快乐啊！我在厅里给它选取了一个最佳位置，然后，细细地给它洗擦叶片。它搁在农贸市场时不显高，现在摆放家中，顶端的叶片离天花板已经很近，我为了擦最上面的那些叶片，必须搭凳子。它的叶片，最肥大的超过了我脸庞的面积,最小的也比我巴掌还大,而且,相当丰茂,我数了几遍,才数准了叶片的数目——大大小小,一共有 62 片。这样的一盆植物放在我家厅里,真可谓堂皇而高雅!我一直把自己的居所叫做"绿叶居",有了它,更是名副其实了!

擦洗叶片的过程中,我感慨丛生。是的,"我爱每一片绿叶",这是我 16 年前的宣言,现在我也不改其初衷。我真的觉得每一片绿叶似乎都是一个既有独立性、又与群体相勾连的勃勃生命。那些粗的叶脉、细的叶纹,里面流动着怎样鲜活的生命汁液啊!有若干片绿叶,是已伤残的,或缺一角,或破一道,或有小小焦斑,或微黄发蔫,我都尽量保留它们,更小心轻柔地擦拭它们,虽然我知道任何一片绿叶到头来都会枯萎、败亡,可是,只要那片叶子的生命力还在挣扎,我就应尽可能让它继续地光合!当我把六十多片叶子全都拭净,午阳从西窗铺进,照得整棵图腾柱碧晃晃鲜灵灵的时候,我的心里,仿佛响着一阙柔美动听的弦乐四重奏!

我昨天曾有过隐忍的不快么?曾有厌人以厌事来干扰我的正常创作么?……当我手捧一杯香茶,坐在沙发上,痴痴地望着被我梳妆得流光溢绿、亭亭玉立的大叶绿萝图腾柱时,我心里只弥漫着一种至善的情怀:我坚信生命的尊贵,生命力高扬的权利,特别是生命的创造性发挥之不可遏阻……

镜外碎语

10 月 9 日　星期日

刚上初中时，有一回我和同学李文仲在楼上俯窗下望，他忽然对我说："要是打这儿往下拍张照片，底下那人该什么样呀！"自初中毕业后我和李文仲几十年再无联系，但他这话不知为何一直留在了我的意识深处。

那时即便是我们那样的京城里的中学生，也还很少看到艺术摄影，除了死板的正面免冠证件照，能留下深刻印象的，也就是照相馆橱窗里陈列的某些美人照——大都是些搔首弄姿，比如说把一根食指杵到腮帮上，扬眉挤出一个媚笑的少妇之类的人工涂色的放大照；那时候的我和李文仲，确实还孤陋寡闻，没见过俯拍的照片，也没听说过什么艺术摄影。

后来终于有机会参观摄影艺术展览，我特别流连于几幅俯拍的作品，那几幅作品可能并不怎么出色，在我，却获得了极大的审美满足。

换个角度，离开正面，从上面俯拍，一个普通的事物，立刻获得另一种外观，也蕴含出另一种意味；从此我悟出"角度"在艺术创作中至关重要的作用。

再后来我的审美领域大大展拓，我不敢贸然议论音乐创作中的"角度"，但从造型艺术到影视艺术到戏剧艺术到文学创作，那"角度"的抉择，几乎居于构思的核心，则是可以举出许多例子来的；不过，诸种艺术相较，似乎"角度"于摄影艺术更具魂魄意义。

现在再来谈摄影艺术的"角度",当然不能还那么"小儿科",只是简单地从仰、俯、侧、背、环、逆等层次上来理解"角度",其实,最了不起的"角度",往往恰恰是从正面发掘出来的,能不能于"无角度"中出特异的"角度",全在摄影艺术家那双非同寻常的眼睛;能不能在欣赏一幅乍看平淡无奇的艺术摄影时,眼睛终于一亮,忽然与其魂魄相通,则全在欣赏者的灵性。

先贤鲁迅极有美术修养,不过在诸种美术品类中,他最心仪的,是版画,特别是黑白木刻;版画特别是黑白木刻,至今仍有坚韧的生命力,其魅力长存,自不待言,但总体而言,现今世上,版画特别是黑白木刻,已处于造型艺术的边缘地带,创作者和欣赏者所热衷的,不管是现实主义、表现主义、浪漫主义、印象派、抽象派、现代主义、超级现实主义、结构主义、后结构主义、新现实主义、解构主义、后现代……还是别的什么五花八门的创作流派,其色彩构成,大都很少全赖黑白,而趋于充分利用黑白以外的色彩,用以构成具有冲击力的符码系统。

电影自有声技术的普及,就离摄影艺术越来越远;而彩色电影的普及,已使黑白电影处于仅在一隅苟活的境地,基本已不能进入商业性的领域;现在还有哪一位电影导演,愿意只拍黑白影片而拒拍彩色影片呢?至于电视,自彩色电视机普及以后,一个人如果只爱看黑白电视,多半会被人视为怪癖。

唯独摄影艺术,如今黑白摄影仍居主流。

彩色摄影,从胶片到洗印,技术都在突飞猛进地发展,尤其是所谓"傻瓜机"的发明,以及规格化的快速扩印机的普及,使普通人的生活摄影尤其是"到此一游"的彩照满天飞,几乎每一个普通市民家里,都有一大堆这类的自娱物——但人们也形成了一种共识:这不是艺术品,只是纪念品。固然好的彩色艺术摄影人们也会对之刮目相看,但当人们想进入摄影艺术领域时,所向往的,居多数的,最为正宗的,到头来还是比如说徐勇拍的那些北京胡同的黑白照。

黑白照,其实严格而论,是黑白灰照。

黑、白、灰，这是最富表现力的色彩。

为什么在其他造型艺术领域（绘画、雕塑），以及电影电视领域，彩色把单一的黑白灰作品甩到了非主流的边缘，而惟独摄影艺术保持住了黑白灰的主流中心地位？

这是一个值得细细咀嚼的美学问题。

灰是黑与白的中间过渡色。

一幅黑白艺术摄影，中间过渡色的处理，尤为重要。但这是难度最大的一环。

绘画中，中间过渡色比较容易把握，因为可以无限度地加以修改。

摄影作品不然，固然在洗印制作过程中可以做一些"手脚"，但那"补救"是有限度的。

艺术摄影大师在把眼睛贴到取景框上时，他心中便对中间过渡色有了一个"数"，这个"数"在底片上即有体现，而在洗印过程中得到升华。

无论高调还是低调的黑白艺术摄影，灰色部分都至关重要。

有没有只有严格意义上的黑白两色而杜绝了灰色的艺术摄影佳作？那当然也有，但那是一种"险作"，往往出现在静物摄影和几何装饰趣味的摄影作品中，大都是些小情趣；我以为凡大气派之作，是万难避过灰色效应的营造，并往往恰是在中间过渡色的处理上体现其深厚功力的。

肖像照是最难艺术化的，但品位最高的艺术摄影又偏偏是肖像照。

不少有功力的摄影家为我拍过肖像照，却都难称成功。不是他们不认真，而是我这个拍摄对象本身比较难以把握。

一位摄影家对我说："你的轮廓线太不稳定！"

的确如此。同一天拍的照片，一张让人看上去分明是个胖子，另一张却又相当适中；三年前拍的照片，看去颇呈老态，而近照却又十分"少相"。

当然，艺术肖像，贵在"传神"，而我不仅外在的轮廓线暧昧，我的"神"也难以捕捉，香港一位大命相家说过，我的命相"浊"，就是说不那么容易看清，特别是我的眼神光，既非熠熠逼人，亦非萎靡不振，要通过镜头传达出我的气质，洵非易事。

刘 心 武 文 存 27

所以一位摄影家欲为我拍照，他头一次来我家，干脆甩着手来，根本不带相机；他就只是跟我闲聊，显然是欲先擒我"神"，从长计议，以备来日从镜头中尽曝我的"老底儿"。

现在我深知：能把拍摄对象拍"美"的，只不过是高明的照相馆技师；能把拍摄对象拍得"原形毕露"的，那才是摄影艺术家。

我曾写过一本叫《私人照相簿》的书。那不是一本谈摄影艺术的书，却又是一本用心去体味摄影三味的书。那本书字里行间流溢着对岁月的挽悼之情。

在所有的艺术门类中，也许惟有摄影艺术与不断流逝着的时间有着粘连难分的情分，一幅画可以重画，新作可以取代旧作；一出戏可以重排，导演可以作全新的艺术处理，但那出戏还是那出戏；同一题材的电影和电视剧可以重拍，观众很容易被勾引得喜新厌旧；就是一部出版多年的小说，作者也可以加以改削，废旧版而以新版"为准"；可是一张照片既已拍成，那它基本上就获得了一种把"彼时"凝固的不可更改的历史性，你可以在同一地点取同一角度以同一技术处理完成再一次拍摄，但那必定已是另一个作品，因为"不同时"了！

每一张照片，无论艺术的还是非艺术的，都永远承载着时间的精魂，离那拍摄的瞬间越远，那照片上传递出的历史沧桑感便越浓酽。一幅历史上的名画永是名画，一幅历史上的拙画永是拙画，其间的对比度不会有多大的收缩，但是一幅艺术摄影和一幅非艺术摄影，在经过久远的流传后，其价值都会增高自不待言，其艺术与非艺术的对比度，却会收缩，乃至于接近消弭。

因此，我想：堪称摄影艺术家的人，他内心中对时间、岁月、变迁、流逝……的感受力，应超过常人。即使是专拍静物的摄影艺术家，也一定与专画静物的画家气质不同，他必更多地为"此时"的即将流逝而心动，后者却很可能失却了"此时感"而满脑门子的"永恒"。

照相术的发明，不过一百多年。

摄影成为艺术门类中的一大品种，只有几十年的历史。

　　摄影艺术无但丁，无达·芬奇，无莎士比亚，无曹雪芹。摄影艺术家不像诗人、画家、剧作家、小说家那样，不得不面对着若干高耸入云的巅峰，巅峰令人景仰，也令人压抑——你总有一种难以逾越的惶恐感。摄影艺术至今却还没有伟大到那种地步的巨擘，因此，每一个有志于摄影艺术的人士也就都可能伟大。这是从事摄影艺术的人士的得天独厚的福分。

　　可惜我没有这个福分。我是一个作家，在镜头前面，总不免惶惶然；在镜头外面，说些关于摄影艺术的闲言碎语，也只怕令摄影艺术的行家们齿冷。

　　忽然又无端地想起几十年未曾谋面的老同学李文仲，如果得到一张他的近照，我还认得出他吗？反之，他得到一张我的近照，还认得我吗？在艺术之外，摄影也那么令人牵心挂魄，况艺术摄影乎！我现在追逐摄影艺术这个美人儿，还来得及么？

与"地下"的交往

10 月 10 日　星期一

今天接到一封来自北欧的信，我正拆信，晓歌问我："是不是'地下'来的？"我打开信一看，笑说："不是……不过你别'地下''地下'的，让外人听见，还当咱们在说间谍呢！"晓歌也笑了。

所谓"地下"，其实是个好人，一位外国教授，挪威奥斯陆大学东亚文化系的系主任何莫邪，是我给他取了个绰号叫"地下"。

何莫邪一头苍苍白发，不修边幅，他去年暑期带着老婆孩子来中国旅游，在北京飞往桂林的航班上，座旁的一位会英语的中国人对他老婆赞许地说："你做得对！不仅带孩子来旅游，还带上了老父亲，现在中国这样的也不多见了！"他和老婆只是笑，也不解释。其实何莫邪年龄比我还小，才四十多岁；他们那个人种就那样，男子年轻轻的就白须白发，身体可光靠遗传毋庸锻炼便极壮硕，而且满面红光，声洪气满，多相处几天，便不会仅因白须白发而生出辈分上的误会。

老何——他要我这样叫他——虽在奥斯陆大学任教多年，他却并非挪威人，他出生成长在德国，是个德国佬；他说他喜欢奥斯陆的偏僻宁静，称自己是"隐居"的"隐士"；他的老婆是丹麦人，他们一家人在家里，是随他老婆说丹麦话，我前年在他家做客时，他提醒我说："你虽不懂这边的语言，相信你也在寻找语感，那么你千万别误会，你在我家听到的可并不是挪威语，而是丹麦语，过些天你去哥本哈根，可以验证一下！"我哪里验证得来，英语、法语的语感区别我还能有，挪威、丹麦、瑞典三国的人说话，我听着都像德语，我也不以无从区分为惭，我又不吃这碗饭！

老何的汉学专长，是先秦文献，其中最拿手的，是墨子研究，看来他在西方汉学界中，算得是个墨学权威；我离开挪威两周后，又在斯德哥尔摩的戴莫斯旅馆与他邂逅，一问，原来斯德哥尔摩大学的东亚文化系有个博士生要通过论文答辩，那论文是论墨子的，斯大汉学家如罗多弼等对中国古典都是功力深厚的，但不专攻墨子，为慎重计，特请了老何来；这当然令我深为佩服。但老何有个根本性看法，是认为中国文化自先秦后便基本上无足观，好东西也有，只是些单摆浮搁的，这看法一说给我，我自然无须细问便迎头痛击，他也懒得跟我争鸣，于是跟我说他对现代汉语语音的研究，论语言老何确实是个天才，几种流行的西方语言包括几种相近而又有异的北欧语，他都来得，这也罢了，他又精于古拉丁语、希腊语、罗马语，他每议及一个概念，常遍引各种语言里的说法，听得我云山雾罩，也不爱听；但他对现代汉语语音的钻研，抠得之细，细得我听来生腻，回过头来一想，却也令我感佩。他就反复跟我探讨过，现代汉语里同一词汇的重读和轻读，都构成了哪些语意上的差异？他举出"地下"为例，重读，如"地下铁路"、"地下街道"，那"地下"都指的是"在地表面的下面"，而轻读，如"针掉在地下"、"别吐在地下"，则那"地下"都指的是"紧贴着地表面的上面"，诸如此类，不一而足，跟他讨论完，我便给了他一个雅号："地下。"我说："喜欢的时候，我就叫重点；不高兴的时候，我就叫轻点！"他忙说："反过来！反过来！"原来他是喜欢"紧贴着地表面的上面"。他既把学问做到如此让人起腻的程度，我也便跟他"较真"说：你这汉名不通！"莫邪"是雌剑的名字，"干将"才是雄剑的名字，你雄人起雌名，好笑好笑！我知他的德文名姓连读是"荷玛斯耶尔"的音，取"何莫邪"（"邪"取"爷"音）是为了谐音，故意要为难他一下，他却不辩，只呵呵笑。

中国文化，包括中国文学，当然更包括中国当代文学，要想走向西方，当然要大大地借助于西方汉学家，所以近些年很有些中国作家大彻大悟，他们就特别注意跟西方一些汉学家"套磁",不仅给他们寄自己的书,干脆给他们寄新作的原稿,以求他们迅即向西方介绍翻译,其效果虽然不一,其做法我以为是无可非议的,就是我自己,也何尝不想他们能翻译自己的作品,向西方读者、社会介绍自己呢!只是可能大了几岁,行起事来未免矜持,也深知西方汉学家大抵都有些怪脾气,所以不轻易跟他们"毛遂自荐"罢了。

"地下"既然认定"先秦后无足观",李白杜甫施耐庵曹雪芹都不在他视野,又何况我这个今人我的几本"时文",所以去年"地下"来北京,他也主动给我打电话,我也请他来家里做客,我书架上就有自己新出的长篇《四牌楼》,我就没送他,连提也没提;其实"地下"对近现代的中国作品也有激赏的,比如他就特别喜欢丰子恺,尤其对《护生画集》,简直推崇备至、赞不绝口,我虽也喜欢,反不到他那个地步,我也算见识过十多位西方汉学家,我知道,别看他们对汉文化那么精通精研,一口流利的汉语,甚至于有的还能唱京剧、昆曲,说相声,叵奈东西文化的差距实在太大,又由于历史上的种种原因,他们和我们相互的"误读",也还是不免频频发生,真达到沟通,谈何容易。

"地下"去年来了,在我家谈及一位中国女作家写的一篇涉及他的文章,说有人告诉他,似颇有微词,他还没有找到;我便告诉他那篇文章我看过,不是什么微词,只不过是"误读";原来那女作家前几年访问北欧时,也顺道访问了挪威,"地下"也在他家那书房里招待过她,那书房在"地下"的那栋小楼的地下室里,他平时总猫在那里头,所以我叫他"地下"更有理由;他拿出一本明代的春宫画精印本请我们的女作家看,大概是《花营锦阵》,我去他家时他也给我看过一大堆,那是西方汉学家常爱向短期访问的中国作家显摆的东西,从浅层次上说,无非是表示:你们在中国算上流知识分子了,却还难见到这些东西!他们言谈中一般还必提及——不是《金瓶梅》——而是《肉蒲团》,那是一部在西方早有译本的传为明末李渔所著的淫秽小说;他们让你看这些,跟你提这些,有炫耀之意,也有热心为你补阙之意;从深层次上说,他们确实都对中国的性文化有浓厚的学术兴趣,都受到过他们的前辈汉学家如荷兰的高罗佩的《秘戏图考》、《中国古代房内考》等学术著作的影响，好容易遇到个高层次的中国文化人，他们便愿就这类的话题摆谈摆谈。那回那位女作家回来写的文章，大意是认为"地下"大可不必把那些玩意儿视为珍宝，那没什么稀奇的，算不得艺术；"地下"却觉得那也是艺术，且是不错的艺术品。这个问题上双方很是缠夹不清，在我又何尝想通透了呢？不过，高罗佩的那两本书近年都出了公开的译本，我在街上书摊也看见在卖无数新印的明清野艳类小说，而且号称"当代《金瓶梅》"的新作不也由大出版社隆重推出了吗？真有点"关不住的春光"的味道，"地下"在他那地下书房里再接待中国作家，显摆那老一套恐怕是不灵了；去年他来，就惊呼有的事，没想到中国倒比西方还开放，比如官方电视台不仅播商业广告，而且若干广告竟毫不含糊地在荧屏上炫耀其壮阳功能！

"地下"去年走后，跟我再无来往，没信更没电话。但我想他不会忘记我。我当然更忘不了他。也许，今年圣诞节前，我会给他寄张卡去。

我家有只招财猫

10 月 13 日 星期四

在日本，商店门边常摆放一只瓷猫，有一种固定的造型模式，是站立式，黑白花，紧毛类，一只爪子扬起来，身上还挂着长方形的牌子，上面明写着"招财进宝"之类的吉利话。我去日本时问过，说那是招财猫，摆放它的风俗源于一个民间故事。不但商店门口时兴摆招财猫，商店里的货架上也有摆的，一些日本人家里也摆。都说日本许多风俗事物是中国传过去的，如茶道、花道、相扑什么的，但招财猫看来却是日本的"国粹"，我们中国是没有这个讲究的。

我家的"狸狸"，很符合日本那个招财猫的标准。

虽然我现在还在某编辑部领一份"干工资"，不能算"自由职业者"，但我的基本生存状态，应该说很接近于所谓的"自由撰稿人"，我维系自己和一家人过一种"有尊严的都会市民生活"的主要手段，是通过发表文章获得稿费，直白地说，便是"卖文为生"。

一年多来不断有记者问我："你对下海有什么看法？"我几乎都没给过回答。

没回答，一是没心情。我也算是翻过几个筋斗的人了，对"表态"这类的事，已没了热情更没了兴趣。中国的知识分子为什么总得表态？而且总是有人逼到面前，让你被动地表态，有时候还死拉硬拽地把你弄到一个会场，让你和另外一些人"集体亮相"地作"大表态"。其实，我现在想透了：我虽有对万事万物都拥有表明自己态度的权利，却绝对没有对万事万物都必须表明态度的义务。你问我一个所谓"经济大潮"的问题，我懒得回答。我想你问一位大亨一个关于"文学新潮"的问题，他也很可能懒得回答。如果你对他不见怪，那就也不必对我见怪。

中国人也真是怪，不管出了个什么新话题，就总恨不能来个"全民大表态"。问到你头上，你不表态，就会被指认为是"不表态的表态"，多半会认为你其实是持反对态度；"态度暧昧"在当代中国几与"立场不坚定"同义，一般人容不得你在"同意"与"反对"之间选择"中间"或沉默，这也许属于一种"国民性"吧！

没就"你对下海有什么看法"做出回答，第二个原因是我真的不懂得这个问题。

我首先就不懂"下海"的含义。

向我提问的记者，往往都先举出某某作家的例子，然后让我表态。

那位作家是某地的文联主席，他们那里成立了一个经商的公司，他当了董事长、总经理。那就是"下海"吗？成立公司的钱，是文联的，或以文联名分引进的，不是他个人的，所赚的钱，想来也不能入到他个人账上，从法律上说，即使那公司经营得很好，上级主管部门也随时可以把他调离，所以，他那么个状况，怎么就算一大新生事物，就叫"下海"了呢？从中华人民共和国建国伊始，我们就陆续组建了许多个官家的公司，比如中国纺织品进出口总公司、中国工艺美术品进出口总公司、中国电影输出输入公司、中国演出公司、中国邮票总公司等等，有许许多多的干部先后担任过这些公司的总经理，并且这类的现象是常见的：由于工作需要，某某人原为教育局局长，后调任为商业局局长，或原为图书馆馆长，后调任为新华书店经理，等等，难道他们的工作调动，便是"下海"么？前些时我们的一位副总理兼任了中国人民银行行长，算不算"下海"呢？（其实管经济的副总理早就应算"下海者"）。当然，某地文联可能原来无经济实体，现在某作家张罗出一个来，并能者多劳地在继续当文联主席的同时，又兼董事长、总经理，"岸""海"兼顾，可能确属新气象，不过，像中国文联，早有文联出版公司这样的经济实体，自然也早有主管人，那主管人是否算"下海"的先行者呢？这样联想下去，比如北京电影制片厂早有厂长，他叫汪洋，已经工作了好几十年并已离休，与其问我对某作家"下海"有何看法，那莫若问我对汪洋早已"下海"并已"离海"有何看法——但我这样一"较真"（或写作"搅汁儿"），那问题本身也就乏味到了不必讨论的地步。

依我愚见，所谓"下海搞经济"，应界定为：(1) 他原有公职，"吃皇粮"，现在辞了（起码是留职停薪）；(2) 他用自己的钱，去从事经济活动。那钱如是从公家借的、贷的，到头来他也是要偿还的；(3) 他的经济活动，赚了归自己（当然是在完税的前提下），赔了也必须自己承担全部责任。有的人从来就没有过公职，现在从事经营活动，也不能叫"下海"。

在我界定的前提下，再问我"对下海有什么看法"，该有个明确的回答了吧？

其实也还是没有。下海不下海是每个人自己的事。就像有的人去当医生，有的人去当厨师一样，这是个个人志趣问题，职业取向问题，或者是不得已为之，是人在社会中自我与环境双向选择的结果，是各人的活法；而且随着生活的流动，还很可能有变化。

我还是"暧昧"。

允许我暧昧吧。

我取的是"卖文为生"的活法。

从宽泛的意义上说，卖文与卖黄瓜卖彩电卖房子卖飞机一样，也是在从事一种经营活动，而且卖自己的文，那就是从设计开始，包括生产、包装、运输直到请买方看样、收购的整个儿一条龙的运作，与一个大公司的经营活动相比，其区别不过是"小巫"与"大巫"罢了。这样说来，我既然并不是仅仅"献身于文学"，比如说呕心沥血地写出作品，却并不"上市"，而是"留给后人"，或装在坛子里埋在地下，或虽公布于世却都自费印制成"非卖品"，又或由出版机构出版也由书店发行我却将全部稿费捐赠非洲饥民……我是分明不但要"招摇上市"而且还坦然自若地收取稿费和版税的，因此，按"投入经营即下海"的标准，那我早已是个"下海者"。

这样把自己同真的"海碰子"混为一谈，一定要让某些人笑掉大牙。

那他们就满地找牙去吧。

我只想说，社会本是多元的。从宽泛的意义上说，当代社会中几乎每一个成员都不同程度地与社会的经济运作有牵连，但一个健全的社会，又是不能个个成员都去从事直接的经济活动的。

应当有一批非经济领域的社会生活组织者，也就是国家公务人员，他们不仅不必从事经济活动，而且，法律应禁止他们涉足经营活动。

应当有一批不仅不搞经营活动而且干脆不懂经济，却又应享受高待遇过稳定的富裕生活的社会成员，如医生、教授、科学家、高级厨师、工艺美术师等等；按说还应包括中小学教师和幼儿园的教师，是人数很不少的一个群体。

还有就是文学家、艺术家，其中有很多应是"自由职业者"，并且有的是完全一个人做自己的事，如作家和画家（歌星还要有人伴奏，戏剧电影电视更需群体合作），这部分人中有的也可不懂经济（尤其作家），至少是不必深懂经济；有人说作家"下海"可以算是"深入生活"，甚至惟其如此方能写好今后的商品经济社会，我对此亦懒得评说，我只是觉得文学的真谛恐怕不能以"岸""海"度量，而另有其入门之径。正如教授中有专讲经济学的，科学家中也有经济方面的专家一样，作家中当然也会有并且我们也应欢迎专写"财经文学"的人物出现，但这并不能引发出多么有创意的话题。

到今年，中国大陆作家稿费的升值趋势，已愈演愈烈。

稿费的双轨制，已从雾中越来越明晰地浮现。

头几年，个体书商以高价购买可望赚大钱的书稿，还是比较隐蔽的行为。现在公家的出版机构也在突破行政主管部门的有关规定，实行"优质高价"，其实那"优"的标准，说穿了不过是对上市后是否畅销的信心之高低。

去年还出现了"文稿竞价活动"，说是搞一次活动，活动还没举行，却宣布已卖出了文稿，因此那个组织活动的机构似乎又是个经年每日营业的"文稿公司"，这样的公司在我国内地的注册、经营、监督、税收等方面的法律依据，不知如何，而报纸上又频频登出消息，在竞价活动尚未举行、定价槌并未举起更未落定的情况下，却已"高潮迭起"，说是一位女作家宣布，她的一个剧本开价100万，而另一位作家则宣布他的作品1000字1万元……真是"鲜花着锦，烈火烹油"般的景象。

自然又有记者来问：你是什么看法？

又得表态。

我还是懒得表态。

我只是希望，我写的文章，还卖得出去。对此我颇有信心。我是"老字号"，不敢说所写出的是"字字珠玑"，但没有伪劣假冒产品，童叟无欺，如是"定货"（专栏文章，指定"规格"）还按时"交货"，而且我不愿做的买卖，也都坦言说明，不糊弄，不凑合，所以，买方现在仍是踊跃地找上门来，尚无萧条之感。

我当然也希望，我的稿费，也能与日俱增。对此，我也有信心。但这份信心和"千字万元"的雄心相比，那就真是相形见绌了。千字万元，如一本10万字的书，作者要得100万稿费，那以每本印出的书码洋5元计，需卖出20万册，才够付出稿费——其实还不止，因为刨去纸张印装和发行费，出版社每本回收的钱根本不可能是5元，甚至只有1元，那就必须发行到100万本以上，出版社才会赢利；有哪个出版社对我的书稿，具有如此畅销的信念呢？我又何必把自己的书，写得那么畅销呢？虽说是卖文为生，要考虑读者口味，但毕竟自己写书还是为了一抒胸臆、营造美文，而自己所长，并非"擅调众口"，所以不敢也不必，立那么高的畅销标杆。有人跟我说，人家开价一百万几百万，不是等出版社买，而是等大款买，买了再送给出版社出版；又有人说这样开价意在实际卖出之外；我就更弄不懂也不想弄懂了。

也有同行来问我，同不同意把我们中国大陆书稿的按字数付稿费的方式，改为一律按书的码洋的百分比付版税的方式？

我竟也态度暧昧。因为粗略一想，我有的书按前者方式吃亏，有的按后者方式吃亏，总算怎么样？算起来脑仁儿疼，干脆不算了。

反正我家有只招财猫，好好养着它吧。我知道它招不来大财，我也不指望发多大的财，但看见"狸狸"我就心旷神怡，因为我相信自己靠写作投稿不仅足以温饱，还能过上有尊严的小康生活。

经济领域的事，我就继续懒懒地虽注视却不求甚解吧！

我想，我这样的人的存在，也许倒能使真的"海碰子"们的社会价值，更充分地凸现出来。

积极消费生命

10 月 14 日 星期五

"养生"这个词儿，我不大喜欢。当然，这是个约定俗成的说法，其含意，与保
健相近，而主要是延年益寿的意思，就是说，我们要爱惜自己的生命，要不得病，
而且要尽力使自己活得长久。

生命属于我们，只有一次，当然值得珍惜。但我们既有了这宝贵的生命，是主
要立足于"养"它，还是主要立足于"用"它？

《红楼梦》里宁国府的贾敬，他对生活采取了逃避的态度，既不想建立功业，也
不愿享受荣华富贵，甚至于连家族的责任也全盘放弃，他把世袭的爵位让给了儿子
贾珍，自己遁入都中城外的道观中，养静炼丹，以求获得长生不老。小说给了他一
个悲惨的结局：因吞丹而暴卒。我们现在可以作这样的设想：贾敬没有贸然吞丹，
或他活了一百岁后再吞丹而"仙去"，那么，他的存在价值，就很高么？我们还不必
用社会性的坐标系来衡量，我们就替贾敬自己想想吧，这样的"养生"，其实和"无
生"，也没有多大的区别，甚至于形同慢性自杀！再进一步想想吧：就算用这种逃避
正常人生的方式，真的达到了长生不老，那和一个万感俱灭、徒留一口余气的植物
人的状态，又有何区别呢？

中国传统中的道家养生法，其中有合理的精华，如讲究与大自然的和谐，劝诫

人克服贪欲痴妄，在为人处世中要尽量忍让宽容，等等，但也有若干推向极端的流派，如花样翻新的房中"采补术"，还有弃绝一切人生乐趣的"枯木槁灰"式活法，我以为便是于人有害的导引。

在我想来，我既有幸获得这独一无二的生命，而我又知道任何一个生命个体都终将由幼小而强壮而衰老，并无可缩逃死亡，那么，最重要的，便是树立一个信念：我要积极地消费这属于我自己的生命！我这对于生命的积极消费观，也便是我的"养生观"。

对生命的积极消费，当然包括贡献于社会、他人、家庭的生命力消耗，也当然包含在职业（事业）中通过生命力燃烧获得成就感，但这里不作这些方面的阐释，单说最浅近的"积极消费法"：

我既有眼，能视，那么，我的双眼，我的视觉，就应积极地去观赏美丽动人的东西，除了"第一信号系统"的直观享受，还有阅读"第二信号系统"——文字，也就是报刊书籍——的乐趣，有人为了"养眼"，给自己定下无数戒律，这个不能看，那个不宜看，近了不能看，暗一点不能看，饭前不宜看，饭后更不能看，车上、厕上不能看，躺着看书，尤为有害，等等；我就不这样想，我当然也爱惜自己的眼睛，但这份爱惜要建立在积极地用眼享受上，看累了，自然应当或垂睫或远眺地养养目，可是如果我们一味地养目，却错过、放弃了许多该看的东西，那么，生就一双眼睛的意义，又何在呢？说来也怪，我以这种心劲，打少年时代就总爱斜靠被子垛或爽性歪躺着、枕高枕头看书，我的眼睛并没有近视，现在年过半百，也没许多同龄人那么"老花"，居然还没有置备老花镜，我想，这同我积极而快乐地消费我的目力有关系，起码在心理上，不是战战兢兢总担心自己的目力被消耗了，而是为自己有幸看到了那么多值得看——特别是美丽的东西——而无悔无怨！

眼如是，耳、鼻、舌、身，亦如是。我既有耳，焉能闭聪"养膜"，我要积极地用它听一切有益于我认知世界人生的东西；我既有鼻，我就要尽量嗅遍世间一切味道；我既有舌，如有机会尝遍世上美味乃至奇味怪味，那为什么要白白放过？我身既属我，而且只能一次，那么，我所应考虑的，只是如何使这一次性消费更有意义、更高雅、更畅快，我为什么要把我身"冷藏"，放弃积极消费而去谋求一个消极的"延缓时日"？

当然，消费生命，必须量体而行、量入为出，这就和我对待金钱的态度一样：我挣钱是为了花销，存钱是为了以备将来的花销。把生命的活力一味地加以储存乃至压抑，吝于消耗，这就同守财奴把金钱装在坛子里舍不得花费，自己活得跟叫花子一样。在花钱上，我的习惯是有钱就花，花到不至于接不上手、跟人借债的地步就算正常，当然也不浪花，所以也储蓄。总之我是一种积极消费观，花钱如是，消费自己的生命也如是。对我来说，牺牲许多人生的乐趣去谋求一个长寿是划不来的，当然要避免病灾夭折，不过，能活到一般人认为是正常的岁数，不经历多少痛苦便溘然而逝，便足称幸福。

在我的一本随笔集《我是怎样的一个瓶子》封四，有我的一幅自画像，自画像下面有我的一句话："把属于自己的不可侵占的生命，消费得更慷慨也更潇洒。"这便是我对待生命的态度。不错，生命力需要补养，但"养生"是为了积极消费生命力；补养生命力的方法真是很多很多，不过，我以为最重要的一点，是首先要让你自己积极地——

活起来！

宝绿色腰带

10 月 15 日　星期六

现在报刊上开始有关于前苏联文学如何评价的讨论，我也很接到几处的约稿，不过我暂时还没有写。没写，不是无话可说，而是一时真不知如何说起。"后苏联"的文学状况，情况尚不明，所以也难作"前""后"的比较。但现在对"苏联前文学"，似乎倒更易置喙了似的。于是不由得想起了契诃夫。

"前苏联"的官方，对契诃夫是慷慨褒扬的，尤其可以拿对陀思妥耶夫斯基的官方评价作一比较，后者有的作品，如《赌徒》、《少年》，在苏联一度不能印行，官方的文学史上，把高尔基说陀氏的作品是"拌着毒药的蜂蜜"，当做了"盖棺之论"。其实，就创作的整体面貌而言，陀氏无论在数量上，在展现俄罗斯 19 世纪末社会生活的宽度、广度和深度上，特别是在对人性的挖掘和对彼岸探求的力度上，我私心里总把他放在了契诃夫之上。但契诃夫确也不愧称之为伟大。他的伟大，我个人的体会，是在那样的一个时代中，他竟我行我素到底——坚持不懈地几乎用他的全部创作，来反庸俗。

我想我这里所说的庸俗，当不至于被误解。正如虚荣与光荣是两回事一样。社会上的芸芸众生、庸常之辈，作为一个整体，我们不但不能轻视鄙夷，而且，要懂得那正是社会赖以劳作的双臂和迈进的双腿。至于风俗、民俗以及俗语俚语、通俗文化，还有许多约定俗成的东西，其中都有黄金，堪当采撷。我们要反对的，是那种自认为高出凡夫俗子，却从骨子里冒出来的庸俗。

我这一代知识分子，如热爱文学，那多半都读过汝龙所翻译的契诃夫小说集，以及契诃夫的剧本，如在大城市里生活，那很可能还看过他的戏剧的演出，看过苏联根据他的作品拍摄的电影，不过，每个人所最喜爱的篇目，可能会有所不同。我从青年时代起便最钟情于他的小说《没意思的故事》和戏剧《三姊妹》。在我多年的阅读生涯中，每隔一段时间，我便要重温这两个篇目，记得在"文革"后期，我也曾偷偷地把潜藏下的有这两个节目的、已无封皮、布满水渍的契氏著作，一个人在灯下细细品味，那情景心情，真仿佛冒死赴爱。

《没意思的故事》并没有让我觉得生活无味和无谓——即使是在最怪诞最艰难的岁月中，它所讲述的那个功成名就的院士的内心苦闷，并没有导致我放弃对事业成功的追求和梦想，但后来我竟很运气地获得了不少我追求与奋斗的东西，于是，这篇小说对我来说更不啻是一剂永恒的清凉剂，它使我憬悟：有一种未必能从政治、经济、法制角度解释，也不是能以一般意义上的道德、伦理、良知所化解的因素，几乎时时在锈蚀我们的灵魂，那就是无孔不入的庸俗。这篇命名为"没意思"的小说里有许多非常耐咀嚼的细节。而《三姊妹》这出戏剧，里面的那位哥哥，他的堕落，不是落入了革命时代的反革命政治营垒，不是坠入了经济犯罪的泥潭，也不是坠入了道德沦丧的深渊，更不是心理变态人格破产，而是被天鹅绒般的庸俗所一口口吞噬！三个姊妹则在庸俗巨口的唇齿间撕心裂肺地挣扎。真能进入契诃夫艺术世界的读者和观众，在那"近乎无事"的场景中，必会有惊心动魄的感受。

记得《三姊妹》里有一个细节，那三位姊妹的嫂子，在一个极雅的场合里，忽然浓妆艳抹地出现，而其最扎眼的，是她在一身水红色的衣裙上，系了一条宝绿色的腰带，经人指出不谐后，不是生气赌气佯作镇静或勃然大怒，而是根本听不懂人家的话，仍自以为美。我曾在60年代看过北京人艺的演出（好像不让多演，只演了三场就停演了），是朱琳演的嫂子，她一个蠢然的转身，一句"难道这不吉利吗？"

把那庸俗而无自知的苍白灵魂，刻画得入木三分。

契诃夫在"山雨欲来风满楼"时病逝，他没赶上后来的急风暴雨，所以他的作品多半只是写在那风雨毕竟还没袭来、只是隐雷闷响的氛围里，庸俗对本来不是那么坏的人的灵魂的锈蚀。其实，在社会大变革大震荡大转型当中，庸俗往往会导致非常非常可怕的后果，有的人不是从别的途径，而恰恰是从庸俗这个管道，跌落到罪愆中去的，或表面上似乎正人君子，而人格已彻底破产。

戒惕庸俗，应尤其是一个社会中的知识分子的日课，从某种意义上说，作家艺术家的创作，就是体现出一种超越庸俗的品格，并以这种品格，去感染读者观众，以提升整个人类的高雅度。

曾见到一位五十多岁的文化圈中人，把一个香港弄来的装钱的腰包系在肚皮上，出现在某个颇为正式的场合，有人惊讶地问他："又不是在旅途中，你怎么这模样儿？"他嘻嘻地用装出来的"港腔"回答说："我系一个有钱银啦！"周围好几个人瞠目以视，他却浑然不觉，仍面有得色。当时我蓦地想到了《三姊妹》里嫂子腰上的那根宝绿色腰带。

系那根宝绿色腰带的人，也不过仅只是庸俗罢了。系那个港式腰包的人呢？在一个会议的会前，他对一位他称为朋友的人信誓旦旦地说，他要就某些人的"不正"到会上"放炮"，但到了会场上，他却发表了相反的言论。人可以有一己之见，也可以附议于一方，实在碍于情面、胆小怕事或觉得说了白说，也还可以沉默，却不可出尔反尔，几面讨好，随时叛卖，又还总惦着当场出彩。这样的人，实在已从俗不可耐，堕入了人格无赖。令人惆怅的是，这类的人事，在目前的转型期中，竟不时地刺人眼目。

因此觉得还要读契诃夫，并且应接过他的反庸俗大纛，努力做到先清除自己灵魂中的庸俗污垢，再在自己的创作中，真正去追求一种高雅的境界。

为人所厌

今天与 K 君通电话，提起某人，他竟一连说了好几个"讨厌"。

想起自己，不仅小的时候很愿让每一个大人都把自己看做一个乖孩子，就是已经老大不小、步入社会以后，也曾企望自己能获得所有人的好感，但这个梦，终于破碎，而且越来越清醒地意识到：纵使确有许多的人喜欢你，或起码是对你无所谓，却也一定会有讨厌你的人存在，并且他们还会把对你的讨厌，或曲折含蓄，或简直是明白无误地表达出来，于是你的人生之旅中，除了享受种种喜欢，也就必须面对那无可遁逃的"为人所厌"。

"存在主义"者萨特，有过"他人即地狱"的名言。按他的逻辑，即使那些喜欢你的人，其实心底里，何尝不是一样地对你持一种"最后审判"的严厉眼光，而且其终结性的裁判，是一定要你下地狱的，因为天堂，每个人到头来总是留给了自己。萨特的这种思想，未免过于悲观，对人性恶的蹿动，估计失度。

但他人对自己的厌恶，确是任何人所不可避免的。伟人、好人、智者必定被罪魁、坏人、混蛋所厌恨，自不待言；种族歧视、政治歧视、经济歧视、性别歧视、职业歧视……所带动的厌弃，由群体而及于个人，例不胜举；现在只想着重探究作为普通人，在政治、经济、职业……社会性因素之外，所遭遇的他人所厌。

仔细想来，我们所遭遇的厌弃，与其说是来自他人，不如说是来自人性之恶。

人之厌人，有时实在并不需要什么"道理"。"我看着他（她）就觉得讨厌！""我听见他（她）的声音就恶心！""你提起他（她）来我就有气！""看见他（她）的名字我就要撇嘴！"……这种"厌人之心"，有时候并不需要法律、道德、科学、审美作后盾，而是凭借直觉，实际上，往往来自人性恶中的"非理排他性"。

向往"人见人爱"境界的人，无论他如何努力，到头来，他（她）还是会遇到不期而至的他人之厌。那"他人"或许只是一个不大或很少的数目，但如果主观上心理准备不足，那么，会很受刺激，很为之苦恼，甚至于弄得痛苦不堪的。

人性恶中的"非理排他性"，包括嫉妒心、侵略性、虐待欲、幸灾乐祸与落井下石的冲动，等等，其中最常见的是嫉妒心，而嫉妒心最常见的发作，则是对超过自己的创造能力与创造成果的无法容忍、必欲贬之抑之扑之灭之的言论行为。

能把自己人性中的"非理排他性"摒除到尽可能低的程度，乃至于廓清，那便是善者、伟人；能意识到自己天性中有这样的恶，能有惭愧感，在这恶蹿动时能加以抑制，也就基本上是个好人；天性中的这种恶，只释放为小心眼、小言论、小动作，不再进一步膨胀、恣肆，也就大体上是个正常的普通人。

为人所厌，只要不是因为自己反动、违法、沦丧、堕落、下流、卑劣，犯了众怒，伤及群体，而只是因为独特的性格，怪异的风格，乃至只是因为过于旺盛的创造性行为，过于惹人注目的社会效应，包括个人所采取的生活方式过于与众不同……我以为，那就让愿意厌的人去厌吧！人生在世，原无"绝对不能招任何人讨厌"的义务！

一个健康的社会，它的政治、政策、法律、规章、秩序、道德、伦理……应当都绝不支持"讨厌"为前提的判断，即仅仅因为某人"讨厌"，便"莫须有"地或乱凑"材料"地将其论罪，也就是说，固然我们无法杜绝人性恶中的"非理排他性"，但一定要将这种因素放逐在人类社会的"游戏规则"之外！

今天悟出——

人生路漫漫，他人几多眼，讨人喜欢实不易，惹人讨厌却往往在不知不觉间！

对此，笑一笑，耸耸肩，走你的路，作你的奉献！怕的应是：谁都不喜欢你；不怕的是：有那么一些个人，他们就是认定你讨厌！细想想，你不也无端地厌恶着某些人吗？彼此彼此，各走各路，只要都非进攻性，能大体上两不相干，你且气定神闲，这世界岂不也满令人乐观？

理解的边际

10 月 17 日　星期一

最近读到一位青年学人评论我旧作的文章，他说我直到 80 年代末，都堪称是一个"泛理解论者"，倒也是，我在 70 年代末发出了"我爱每一片绿叶"的宣言，整个 80 年代，我虽历经了某些曲折坎坷，在创作上确实恪守着不仅尽可能去理解人，而且要尽可能谅解人的初衷；也不仅是在创作上，在为人处世中，我也很努力地去这样做；这种文学或人学的追求最强烈地体现于 80 年代中期我的两篇"纪实小说"里，《5·19 长镜头》我吁请"上面"理解、原宥年轻人因青春期苦闷而斜刺里蹿出的躁动，《公共汽车咏叹调》我呼唤"下面"的各色人等能互悟各自的"不容易"，从而在和善的目光中消弭火气冲撞。现在回过头来看，作品既承载着我独特的体认与真诚的感情，也记录着那一历史时期真切的人文风貌，文字也堪称流畅幽默，错是没什么错，但确实已成为两张"青春期"的"旧照片"，那里面所充溢激荡的理解热情与谅解气派，却可谥之为"泛理解与泛谅解论"。

进入 90 年代，我的文学之旅仍在进行，我一百八十度大转弯了吗？"觉今是而昨非"了吗？不是，我心中仍跳动着一颗怀有理解宏愿的善心，但我去掉了多余的自信，增添了审慎与疑惑，在长篇小说《风过耳》里，我对卑鄙的灵魂做了一番透视，却并不以为已彻底理解了其形成的根由，尤其是，一反我 80 年代那理解乃至谅解必随的习惯，我对某些宵小虽颇理解，却再不愿谅解，当然也并不心烦意乱、愤世嫉俗，而是在审丑中获得一种"好玩，真好玩，好玩死了"的快感。在长篇小说《四牌楼》里，我更以苍凉遒劲的叙述语调，表露出我对个体生存历程中的偶然性之神秘，对他人心性诡谲莫测之深奥，对社会人群"集体无意识"之强悍，都处于极欲认知而力不从心的状态，是一种在理解的痛苦中瑟瑟颤抖，从而生发出探秘的深层欣悦，那样的况味。

我们的社会转型，由几种合力推动，在 90 年代大大加快了速度与力度，仅就文化状况而言，有的青年评论家认为，已颇具"后现代"的意味，POP 文化大行其道，平面的、拼贴的、杂糅的、浮泛的、高科技因而非人情的、电子化因而少个性的文化产品如洪水般泛滥于街巷居室，在这样的文化消费时尚中，"理解"已成为一个古典的语汇，人们多半只满足于感受，感受了也就行了，何必理解？累不累得慌？至于"谅解"，那更用不着，无所谓理解又遑论谅解？现在人们替代"谅解"这个语汇的是"妥协"，一切以利益的协调为准则，而以情感的和谐为打趣的话柄。

对于舍弃以理解为鹄的、把追寻感受表达感受奉为创作原则的年轻人，我很愿与他们友好，并真诚祝愿他们在自己存活的时空中给后人留下他们独特的划痕。但我有自己的时空，这时空虽与比我年长的以及比我年轻的都会有所重叠，但那差异是明显的；就是与我同时同空的平辈，我们的心路历程也必定由大量独特的私密而分径离庭；因此，就我个人而言，在这"后现代"中，我虽有与其亲和的一面（比如《风过耳》就很有"拼贴画"味道），我那致力于"理解"的"古典情怀"，却并不打算轻易放弃。

问题是，在这难以透视的 90 年代（下一世纪姑且勿论），我欲坚持去理解，去认知，其难度之大，倒在其次，最令我锥心的问题是：理解有否一个边际？其边际在哪里？

青年学人扣我一顶"泛理解论"的帽子，无论合不合我的头号，都是对我的一帖清凉剂，是的，如果现在我坚持要理解，却又不打算"泛理解"，那我就必须为自己确定一个"止于此"的边际。这边际究竟在哪里？

以自我的良愿为圆心，以探索的胆识为半径，那半径越长，所划出的认知弧也便越长，所接触的未知面也便越大，如果一味地延伸半径，会造成半径断裂，那时纵有再好的良愿，也只能是到头来更加糊涂。

所以，要憬悟，不仅个人的理解力是有限度的，群体的理解力一样是有限度的，整个人类的理解力虽仍在延伸，却也面临着越来越多的困惑。

在"后现代"之前，一切文化的价值似乎都取向于认知即理解，文学艺术亦不例外，在这"后现代"逼近时，却出现了不以认知理解为价值尺度，甚或以嘲弄认知理解为乐事的文化，因而，仍坚持认知理解的圭臬，便必须更加努力，方能在从中心向边缘转化之后，仍作为多元文化中的一元而存在，不至于竟黯然出局。

这便是我清醒认识到的自我文化处境。我仍欲认知理解，我在冷静地掂掇：理解的边际究竟在哪里？

我已感受到了某些"边际效应"，心中已有一些"积数"，不过，一下子还说不出。

我为自己能从"泛理解"的渊薮中解脱出来而高兴。

我今后的作品，将有一如既往的认知理解的走向，却不再"泛理解"，我也将把难以理解、不可理解、放弃理解、懒得理解、解构理解、消弭理解艺术化，这样，我本人，可能就更具有转型期作家的悲剧性特征，而我的作品，则可能更具备从"现代"跨越到"后现代"的斑驳陆离、老少咸讶的奇诡风貌。

我只能这样在自己的时空中怪异地燃烧。如是我福。

哥本哈根奇遇

10 月 18 日　星期二

《东方》杂志今年第四期刊出了我《漫话"西方学"》一文。有人问我：你怎么来的这个思路？其实，我之所以有这样的一些"怪想法"，是因为近些年来深受到西方人搞的"东方学"的刺激。

比如前年在北欧……

且说丹麦首都哥本哈根，那真是一个童话世界，尖顶花檐的楼房上，连长腰犬形状的水笕也仿佛在讲述着奇妙的故事。可是同北欧其他地方一样，当地的"食文化"似乎并不怎么发达，人们的想象力不大朝那个方向发展。要想摆脱单调与寡淡的食品，到头来你还得找一家中国餐馆，以慰朵颐。

记得那天我在哥本哈根城内的淡水湖边，坐在长椅上望了一阵在湖中游弋的天鹅，又沿着湖畔林阴道漫步良久，身心大畅之余，忽觉有进食的必要。于是我乘地铁到达闹市区，觅到一家门口挂着中国宫灯的餐馆，走了进去，进去一看，吃了一惊，一是因为那餐馆的内装修"全盘中化"，而且在使用中国工艺美术品布置厅堂方面，达到堆砌烦琐的地步；二是金发灰眼的堂倌笑面相迎引座时，我一瞥之中，只觉偌大的厅堂里，似乎只有我一个食客，生意竟如此清淡，颇出我意料。

落座到一处由摆满仿古玩器的多宝格隔开大堂的雅座上，堂倌递过大如报纸硬如薄铁印制精美的菜谱，除了丹麦文，还有英文，我也不知都开列着些什么菜式，只是看清了价格，对于我来说，都贵得可以，不过既已落座，也就不惜破费；我让他先给我上一壶菊花普洱茶，点什么菜且再说。

堂倌取茶去了，我正琢磨菜谱，忽听有人招呼："刘先生……"抬头一看，一位似曾相识的洋小伙儿，微微躬身，礼貌地来与我搭讪。

原来我头两天在哥本哈根大学演讲时，他曾来听过，坐在头排，那细高的身材，宽阔的额头，还有粗糙而淡白的金发，特别是一双深凹的灰蓝色眼睛，都给我留下了印象。我遂请他坐下，攀谈起来。

他并非哥大的学生，而且根本不是丹麦人，他是德国人，已从德国一所大学的汉学专业取得了硕士学位，目前是在做博士论文；因为他的女朋友是丹麦人，且在哥大攻汉学，所以他跑到哥市来小住，那天的听我演讲，属"听蹭儿"性质。

他汉语普通语说得很好，自称汉名为麦思墨，在先秦诸子百家中，独尊墨子；我问他博士论文可是关于墨子的，他说硕士论文已做过关于墨子学说的题目，现在的博士论文，是语言方面的；我问他是个什么样的题目，他从容地答曰："我正准备的论文是：《汉语中关于烹调的动词的研究》。"

说实在的，他报出的题目让我吃了一惊。

我虽是一个地地道道的中国人，一生得益于中国烹调自不消说，但我却从来不曾琢磨过，中国语言里究竟有多少关于烹调的动词。

麦思墨拿出一个拍纸簿，厚厚的一沓纸上，搜集着一大堆中国话里的烹调动词；他说今天机会真是难得，能在这家餐馆巧遇我这样一位中国专家，他忍不住要"不揣冒昧"，向我求教了……

我翻阅着他的拍纸簿，满眼跳动着虽然熟悉却从未如此集中的烹调动词：炒、烤、爆、炖、炸、烧、烩、炝、烙、焖、熘、煸、烘、焯、灼、焙、燎、炼、煨、炙、煲……烹、煮、蒸、煎、熬、熏、氽、涮、浇……

　　他解释说，这些还都只是直接与火上操作有关的，尚不包括凉拌腌渍等方面的动词，而且也都仅是单音的，像"清蒸"、"勾芡"等双音节以上的另辟专节分析，当然也基本上都是普通话里的，方言中的暂不涉及；至于在实践以上的烹调手段时所采用的技术性动作，如拿、取、洗、拆、切、割、磨、搅、铲、颠、按、转、翻、叉等也另外再算。

　　他请教我的问题接踵而至："炖和煲的区别在哪里？……是不是加水后，把单一的东西弄熟叫煮，而把多样的东西混合弄熟就叫熬？……您认为中国人的烹调术里，有哪些体现出典型的道家精神？……您认为同样用小麦磨成面粉后，弄熟的办法，西方人用烤，中国人用蒸，这里面是不是体现出了两种文明的根本性分野？……"

　　麦思墨对中国烹调动词的研究，真达到了走火入魔的地步。我无端地想到了《红楼梦》里的回目："村姥姥是信口开河，情哥哥偏寻根究底"，其实我们中国人对煮和熬的定义界定得并不那么严格，说煮粥熬粥乃至煲粥都行，谁知这位洋哥哥偏是个死心眼儿，非把这几个动词掰拆开不可。

　　我尽量回答他的提问，同他做些讨论；堂倌见我们用中文对话，一旁恭立良久；为了使麦思墨获得准确的概念，我想点一客水煮牛肉，但该餐馆并无此菜式；像烩白菜、焯芹菜等堂倌根本是闻所未闻；不过他们备有三鲜锅巴，这道菜可讨论的内容颇多，麦思墨说由他来付这道菜的款，我也同意；后来我点了蚂蚁上树和回锅肉，还有粟米汤，在哥市能做出这些菜来，也算难为他们了——当然，端上来后，色、香、味都不敢恭维，很像麦思墨说的中国话，遣词造句都无可挑剔，但听来总还是有点怪腔怪调。

　　麦思墨用筷子不成问题。餐后除三鲜锅巴由他单独付款，另外的，粟米汤他没喝，由我单付，其余的我们分摊。西俗如此。堂倌耐心地开出两份账单，分别交给我们两人，所找零钱，我们都放弃，作为小费；我因多次到西方访问，早已不以此种"算细账"的做法为怪。

　　麦思墨自言他之所以常光顾这家餐馆，正是为了把论文写好；这家餐馆价格居高不下，他之能以破费，是因为得到某基金会赞助，也就是说，竟有人给他钱，来鼓励他写这样的论文，做这种"中国学"的学问。他也曾要求到灶房间参观，乃至打工，以有更深入的体验，但都为老板拒绝，他就是付钱观摩，也不行。

我们走出时，整个餐馆里也不过只多了三两桌食客。我真不知那老板何以维持。

分手时，我忍不住问："你们搞这种研究，到底有什么用呢？"

麦思墨扬起眉毛，仿佛我这问题很是古怪，令他始料不及，他侧头反问我："有什么用？……为什么……要用？……您是说……让谁用？……我们……并不是都要马上拿来用的呀！难道一定要像——比如说筷子那样，拿在手里就是用的吗？"

……

西方人搞"东方学"，究竟是为个什么？

我在《漫话"西方学"》一文里说——

西方人对东方、对我们中国的研究，何尝没有功利性！他们那里，也有因为讨厌自己所在的西方，因而全盘肯定我们东方的学人，写出若干崇尚东方文明的著作的；也有因为讨厌我们东方的现状，因而全盘否定我们东方文明，乃至攻击到我们东方人民族性的；当然更有"两说着"，也对我们取精去粗的。

不过，在西方，确有一种相当纯粹的"东方学"。说它纯粹，并不是说这门学问的嘴里吐出的都是象牙，而是说，它至少有下列几个特点：

承认东方文明是他们不能包容的；

清醒地意识到东方文明对他们来说是"非我族类"，是一种异质的、具有"他性"的东西；

感到东方文明是神秘的，很难真正进入的；

必须耐心地、点点滴滴地、一步一个脚印地、遵守学术的全部"游戏规则"地，来做关于东方的学问；

这门学问的目的，首先是为了"弄懂东方"；

由细密的分支研究，逐渐整合为一个体系。

　　这种"东方学"，你可以戳穿它——到头来，还是要进入功利层次的，否则，研究经费从何而来？政府也好，财团也好，无论打着什么基金会的牌子，他们之所以乐于往这种纯学术研究中投钱，当然有深意存焉；不过，那意确实可以埋得很深，所以，你可以在西方搞"东方学"的学者那里，看到很多这一类往往令你吃惊的论文题目：《中国的尺子》、《中国清代服饰与明代的区别》、《痰盂与马桶》、《晚清和民国初年的玻璃镜画》、《当代中国人街头谈话时的常见身体距离和肢体语言》……

　　我因此提出——

　　我们也必须在这样一些基点上来研究西方：

　　坦率地承认，西方文化在当今世界上已成为强势文化，别的不说，仅举一例：奥林匹克运动，是西方人发明的，并浸透着西方文化的汁水，可是现在似乎已成了全世界无论东西南北、人皆接受的一种共享文化；我们并不是因为西方文化如此强势，心理不平衡，才单把它挑出来，加以检验，我们是要深入地弄清楚：究竟是为什么，西方文化走到了这一步？"是几时，孟光接了梁鸿案？"

　　尽管我们当今的中国人，穿西装，吃面包，喝咖啡，看电视，坐汽车，乘飞机，打电话，用电脑……但西方文明，就其本质而言，仍是我们包容不进的一种异物，那不是一般的"彼"，而是具有厚重浓酽"他性"的东西。

　　西方对于我们来说，也许不像他们对我们那样，动不动概括为"神秘"；但西方人的"文化心理"，的确令我们感到"匪夷所思"。王蒙最近在一篇文章里写到，在美国，到银行开一个、销一个信用卡户头，都是免费的，但用旧卡换一张新卡，却要收五美元；中国人去了，就觉得奇怪，问：我销一张旧卡，再开一张新卡，跟换一张旧卡，不是一样的效果吗？为什么换卡就要交你五美元呢？我本来是要换，现在不换了，请给我销一个开一个！美国人听了却更感到奇怪，说从没有美国人提出过这个问题……最后他们代付五美元，给要换卡的中国人换了卡。在这个例子里，中国人美国人都无所谓对错，却体现出全然不同的文化心理。怎么回事儿？难道不值得研究吗？

　　所以要有"西方学"，其学术目的，首先是"弄懂西方"。

我又思索——

研究"西方学",用什么方法?

全盘采用中国的"国学"方法?显然不行。

用西方近些年直到最近涌现的那些方法,如结构主义、后结构主义、解构主义、女权主义、后现代主义……乃至于目前在中国学术界也炒得很热的东方主义、后殖民主义等等"新批评"的方法,来作为我们建立中国"西方学"的学术架构,显然也不行。就好比一个人自己的脏器是不能用来"移植"于自己一样。

必须有人站出来,创立一种中国式的,又是全新的方法,来竖起中国"西方学"的大旗。有一个人也好。当然,多几个人,多几种方法更好。能涌现出不少人,使出不少的招数就更好了——倒也不一定非"百家争鸣",可以"百家自鸣";西方搞解构主义的就不一定去和搞后殖民主义的争鸣,在我们看来,不是他们的相互攻讦,而是他们的自盘炉灶自得其乐,整合成了当代西方的一种学术奇观。

我们这些年常用"走向世界"的提法,其实,这个提法在很大程度上是"走向西方"的意思。以文学界的情况而言,"走向世界"的标志是:作品翻译为西方语言,受到西方汉学家重视,被西方的"名人录"列为词条,被人提名去争取获得诺贝尔文学奖,被邀请到西方访问……从文学批评的角度,则是作品被纳入后现代主义、女权主义等范畴,与福克纳、马尔克斯、博尔赫斯等相提并论,而文学理论家、批评家,则进入上述种种西方时髦理论的"语境",搬用那种种"兵器",在中国的文学刊物上进行"泰西武术表演"。

这都是时势、世势所趋。不但无足怪讶,而且应该说还是有趣的、有益的。我自己就跻身于上面的"走向"之中,对于"泰西武术表演",我更是兴致勃勃的看客。

不过,现在我清醒地意识到,无论我们怎样努力地"走向",也许个别人能以侥幸进入西方文化主流,绝大多数中国知识分子,尤其是中国作家,又尤其是用中国方块字写比如说后现代主义批评的批评家,都是几乎没有那个可能的。

因而也就没有那个必要。起码没有那么大必要。

值得特别说一下的是：即使是东方主义、后殖民主义，其理论是批判西方的，认为西方的文化霸权侵入、阉割、宰制了东方文化；即使其提出者赛义德是个东方血统（巴勒斯坦）的人，究其实，那也还是西方文化的产物，赛义德受的是系统的西方教育，并留在西方不归，他的书是用西方文字写的，喝彩的首先也是西方人，他并以此在西方大学讲堂上立足；西方这类人历来都有，他们的学说批判西方，但那也还是一种西方学说，就像中国的"文化大革命"把中国的文化传统全否定了，甚至于搞"破四旧"把中国文化中的许多瑰宝无情地毁灭掉了，但那也还是中国人的中国文化行为之一，研究"中国学"，也得作为一个课题。对赛义德及其学说的研究，当然也应是研究"西方学"的一部分。对赛义德的后殖民主义理论的兴趣，如果发展到引为同志、奉为圭臬、如获至宝的地步，那就好笑了！

西方又有个亨廷顿突发"怪论"，说是 21 世纪的世界格局，不再是政治制度、意识形态之间的冲突，而是三大文化圈——基督教文化、伊斯兰文化和儒教文化——的冲突。是不是这样，走着瞧吧！

亨廷顿的理论，也可从"西方学"的角度来加以观照，就是说，先不去验证其对错，也且不忙剖析其"险恶用心"，而是研究一下，西方人形成这类思路和采取这类表达方式，有无其文化心路的轨迹可循。

我们要弄懂，他为什么要这么说，用这样一种方式说，形成这样一种效应？

也许，应当有中国人，写出比如说《亨廷顿论文中的插入语》这样的论文。

烦琐吗？缥缈吗？无用吗？

是的，从某种意义上说，是烦琐、缥缈、无用。

但，从长计议，有备无患，这种看似"浪费"的研究，对于我们整个民族来说，还是应当有其一角空间。

西方人容纳他们的"东方学"，到了有人出钱供养《中国唐朝的扇子》、《潮州方言中的鼻音》以及麦思墨那种论文作者的地步，我们中国的"西方学"就算一时不能或不必达到这样一种奢侈的程度，也总该先开创出来吧！

细想想，这哪里是浪费！所需人不多，园地更可以少至一二而已，扫一扫我们公款大吃大喝的地缝儿，那漏下的"零镴儿"也就足够了。

亨廷顿的理论，不管是对是错，起码，给了我们下面这样一些启发：

西方文明不是人类唯一的文明；

西方文明在当前虽是一种强势文明，特别是其科技文明、工业文明、商业文明、视听文明……都明显地在侵入、融化东方文明，但，它也不是在一切方面都强；

西方文明的这种强势不见得是永久的；

因此，西方文明与人类文明当然不能画等号；

也因此，就不能把西方文明视为最优或最高级的文明；

东方的知识分子，就个人而言，有可能进入西方文明，乃至进入其文明的主流，但这只是他或她个人的事，其几率极低；就群体而言，无论如何努力，都看不到现实的可能性；

把西方文明当做"绝对文明"，奉为至高至善的标准，在西方和东方的智者眼中，都是好笑的；

像解构主义、后殖民主义这类西方的时髦理论，就好比西方的高档服装和香水一样，在西方不仅并没有成为大众文化消费品，而且在高级知识分子中也并非都趋之若鹜，只是一部分知识分子，特别是一些大学生，对之非常热衷，因此，中国这边的知识分子固然应及时介绍，也可以有人热情皈依，但如形成"人人皆欲进入其语境"或"今朝不谈赛义德，读尽诗书也枉然"的氛围，那就是有病了。

我不敢苟同亨廷顿高论，主要是我不以为东西方文明的冲突会成为 21 世纪人类活动的主轴；而且，所谓世界性的儒教文明，究竟存不存在，也还需要研究。

提出研究"西方学"，前提是把西方作为一个"异物"，会不会导致民族主义？乃至于要问：是不是有一个潜在的"义和团情结"？

担心得好，问得虽尖锐，也好。

确实，要警惕。"义和团情结"，经过一个世纪的化解，起码已不成其为一个"结"。

现在的中国人，特别是年轻的一代，反西方的情绪说是淡薄都未必准确，因为更使老年人担心的，是他们已经明显地有崇洋媚外的倾向。

提出创立中国的"西方学"，不可能解决这样一个问题。即使间接作用，也几乎无从说起。"西方学"应是一门纯粹到令非专业人员或特殊爱好者以外的人，都难以涉猎更难以理解的学问。

防止狭隘的民族主义情绪生发、膨胀，是一切有理性的中国人都应尽到的人类义务，中国知识分子更责无旁贷。

把西方作为"非我族类"的研究对象，无论如何，总比把西方作为"一等外宾"的优待对象，更有利于我们，也更适合于他们。

为了弄懂西方，我们一定要建立中国的"西方学"。

可以慢慢来，但，一定要来啊！

你倒试试看

10月20日 星期四

记得鲁迅先生打过这样的比方：食客批评厨师菜做得不好，厨师便赌气说："你倒试试看！"食客无奈，只好钳口。鲁迅先生是以此说明，作家（厨师）应虚心听取批评家（食客）的意见，即使拒绝接受，也不能以"你倒试试看"相挟。当然，如果把"你倒试试看"的气话抛给一般读者，那就更没有道理了。

我在创作上，以写小说为主，也写散文随笔，并兼弄一点批评文字。这几年，文坛上颇有点"性而上"的势头，有人写文章指出了"性而上的迷失"，也有不少人在文章里表现出对文学"触性"的深恶痛绝，当然也有人主张宽容。其实这股创作浪潮已涌了十来年，作家们在这方面的创作热情，主要还是受到来自一部分读者的阅读兴趣牵引，出版发行进入市场经济轨道后，因为"性"也是促成畅销的因素之一，所以图书市场上趁"性"而入的印刷品很是不少，有的公然违反"游戏规则"，搞的是赤裸裸的淫秽读物，理所当然地被查处收缴，这里不去说它，而更多的则是"不尽性"的文字，不好一概而论，有的更由"名厨主理"，分明是一道色、香、味俱全的菜肴，论营养，也益多弊少，引出颇多食客的啧赞。所以，"文学与性"这一话题，在各报刊上也便时不时地出现，我呢，也很发表了几次意见。

关于"文学与性"，我的意见，概括起来，大体如下：（1）文学当然可以表现性。

因为性是个体生命生存状态中很重要的一个方面，而且，人类群体生存，也就是社会之中，性也是一个很重要的因素，并因此派生出无数的人间戏剧；把性简单地看成"动物特征"，认为文学一触及性便必定"低级下流"，是一种褊狭的见解。(2) 文学当然也可以（如果不是更可以的话）不表现性。因为人的生存状态中，往往是超出性的东西居多，人类的社会存在中更是如此，文学表现人，表现人类，探索人性，其落点可以很多，不必都往"性"上拥挤；也就是说，不要"性而上"。(3) 对这十多年来，我们文学中"性"的出现、增多乃至于颇成风气，我很理解；因为在这之前的几十年里，我们的文学对"性"是太禁锢了，以至于到了"文革"当中，连爱情也都成了禁区；这是很特殊的现象，其实不用举自《诗经》到《红楼梦》的古例，就是本世纪 30 年代的"左翼文学"，举凡茅盾、丁玲、张天翼、蒋光赤等等，在他们的作品里都有很松弛自如的性描写，成为他们作品经纬中颇引读者注目的"图案"；依我想来，文学中的"性禁忌"，大约是在 40 年代后的革命文学中自觉形成的，并且我以为那是革命战争的必要，因为在革命进行中，一切都需要军事化，文学自不例外，"军中无性言"，才能打胜仗；问题是，革命成功了，进入正常的和平建设时期了，就应改变一切军事化的体制了，文学也就不能都是一味地战斗化了，生活中一般人的性生活既然正常化松弛化乃至浪漫化复杂化，文学对之表现，也就应开禁了；因之，这十多年来我们的文学中出现了"性"，并有越来越大胆的表现，虽居心不一、良莠不齐，总体而言，倒也反照出了我们社会生活的正常、和平、繁荣与进步。(4) 可是，文学对性的表现，我以为有两种互为轩轾的分野，一是色情，一是情色。何谓色情？简而言之，无论那作品有多少优点，它写到性时，用文字直接描写了性器官和性交过程，我以为便是色情描写。色情描写我以为是低级下流的东西，对读者起不好的作用，尤其对青少年读者有害。那么，什么是情色描写呢？也简而言之，就是不仅写感情，也写及性心理，即也涉及"色"，可是自觉地不去具体地写性器官和性交细节，往往是点到为止，并且都有超出这一层面的另外意蕴。举例：《金瓶梅》里的许多描写，如"大闹葡萄架"之类，我以为便是色情描写，而《红楼梦》

里写性，大体上都是情色描写，就文学表现性这一点而言，我是不赞成《金》而拥护《红》的。(5) 对完全是色情的东西，我赞成禁绝流布，尤其不应将其纳入文学范畴；对含有大量色情描写但还含有更大量认识价值、审美价值的作品，如《金瓶梅》，我认为可以公开印行全本，但发售时不应以行政级别为限制，而应以年龄为限制，凡18岁以上的公民均可自由购买，成年人有不将其给未成年人看的义务；对仅有情色描写的作品，则应不加限制。

我这样一些观点发表出来以后，便有不止一个人来对我说："你这一大套听起来头头是道，够八面玲珑的！可是，你又说文学可以表现性，又说不能色情，还发明出什么'色情'与'情色'的区别，你说得倒蛮轻巧的，哼，那么着，你倒写几篇'情色小说'给我们看一看！"因为我的本职并非"品尝师"(批评家)而是"厨师"(烧"小说"类菜肴的)，所以，对这"你倒试试看"的挑战，无法用鲁迅先生那样的逻辑顶将回去，一时未免尴尬。

但既处在这似乎已无不可一试的文坛中，我也便提起兴致、鼓起勇气，身体力行，写起"情色小说"来。这便是三个中篇构成的《北海三部曲》的由来。第一个《九龙壁》(已发表于《海峡》1993年第五期)，写了一位摩登女性的性心理错位，她在婚姻上，理智地选择了一位既仪表堂堂前途亦无量并且性功能绝无缺憾的知识精英，论感情他们也是互恋互爱的，可是，这位女性的内心深处，却偏认为另一粗鲁低俗的男子对她而言更具性感，他们也果然同享了那份性快感，于是她面临着一种痛苦而尴尬的局面：究竟怎样在情与性之间求得平衡？第二个中篇《仙人承露盘》(已发表于《钟山》1994年第五期)，则是写同性恋者的内心煎熬的，其内蕴当然也就比前一篇深沉，我企盼读者能从中体味到个体生命生存困境中的隐秘苦衷。第三个中篇《五龙亭》(将刊于《小说界》1994年第六期)，是写老年人性心理的，同前两篇小说中的主人公一样，这篇小说的主人公也为自己"不正常"的情色思绪弄得心烦意乱，充满了耻感和罪感。我对这些主人公的耻感与罪感都采取了宽宥的态度吗？也不尽然。在人的性意识里，既有与一般动物相通的"下流"因素，更是融会进感情、理智、人文环境影响、个人文化心理结构、社会伦理道德干预种种因素的混流，而且，即使人类社会昌明至今，人类对与人的肉与灵均相依存的性本能性意识的认知驾驭仍远未达于理想的境界，所以，文学，特别是小说这一文学品类，在表现探索这一神秘领域方面，当然也是大有作为的。

不过，我这个小说厨师，所更想表现探索的，还并不是"性心理"这道菜，这《北海三部曲》，算是偶一烹之吧！味道如何？愿食客们起码可不再说："你倒试试看！"

浓淡总随心意抹

10 月 22 日 星期六

一位大学生跑来问我：请说说散文、随笔、随感、杂文、札记、游记、小品文……这些文体的区别。这可把我难倒了。虽然这里头，杂文比较注重据事说理，游记自然应是记叙游览的文章，似乎还能大概其地说出点特性，但如细究，杂文也有不同的写法与风格，有的杂文，其实也可称为随笔；而游记其实也不过是散文中的一个分枝。见我语塞，那大学生对我放宽要求，他说：那么，你就光说说散文跟随笔的区别吧！我顺嘴便说：散文就是很随便地写些见闻思绪，随笔则是有所感受便随手写出的文章……没待说完，我自己先笑了，他也笑，真是好笑，我也算是出了十多本散文随笔集的人了，真来跟我从概念上"较真儿"，却如此缠夹不清；最后，我只好说：文章投给报馆、杂志、出版社，人家把我的这些劳什子放在什么栏目里，叫做什么，想必就是什么吧！

最近看到报上有文章抱怨，说是这几年散文随笔虽蓬蓬勃勃，大有"晴川历历汉阳树，芳草萋萋鹦鹉洲"的景象，但到最近，数量虽说还在猛增，不少文章的内涵却越来越淡，"林花谢了春红"，令人口味大减。

这样的意见，颇能反映出不少读者的共同要求：希望作者们能在文章中，特别是专栏文章中，保持其"浓度"，保持其"含金量"。这当然值得我们写散文随笔的人引为策励，在继续投稿时，能"好自为之"。

不过，我以为，大概其而言，散文、随笔只是些小艇小船，其"载重量"，是不能与学术著作、长篇巨制等千万吨以上的大船巨轮相比的，你，一味地只要求它"有分量"、"深刻"、"含金吐银"，它是不能堪其承载的。散文、随笔也并非"浓缩型"饮品，更不能要求都是"厚积薄发"的"陈酿"，相对地浓郁、醇厚一点，固属佳品，倘只是相对地清淡一点，只要纯净而无杂质，虽仅可供一次性"饮用"而无长期庋藏的价值（许多报纸副刊上的文章多属此类），或可破一时之闷，或可引一叹一粲，都应宽怀容之，不必苛求。

我这些年所写的散文随笔，有的，自己比较满意，反响也比较大，如《五十自戒》、《心里难过》、《抱猫闲话》等篇什，转载率较高，读者来信也颇多，有的，自我感觉很好，却几无呼应之声，有的自己也认为平平，读者来信提及，亦云："不敢恭维。"现在要问的是：平平之文，怎么也拿出发表？我想，倘是长篇巨制，自己感觉平平，那么，还是应多加修改，甚至放放，或竟推翻重来，待自己满意了，再拿出去的好，因为自己生命的大刻痕，怎能急就而平庸？而读者读这样的大东西，花费的时间精力也多，总得让一部分读者读后喜欢才好，当然，无论自己多努力，拿出去仍会有论家认为无足观，那是无法之事，难道就吓得封笔不成？至于有时报刊编辑索稿甚急，我也确还有些文思，遂援笔"救场"，所写出的文章淡一点、平一点，只要还纯净，多少有点小情趣，读者眼睛溜过，不敢恭维也无甚损失，我也就并不怎么惭愧。有的人不埋怨作家而埋怨编辑：你们编登的文章为什么不是篇篇精彩？我恳请大家替编辑们特别是报纸副刊编辑们想想，有的每天要编出一版，怎能坐等合用的稿件从天而降？势必要约些稿子，又怎能等到满把珠玑时才去拼版呢？所以，我主张读者特别是论家们也都宽容一点，不是天才不是佳构没能满版珠玑固然可以撇嘴，但总还是全面地看人待文为好，不要用过高的标杆衡量每一篇散文随笔。小草灌木，小船小艇，有时甚至只是一汪积雨漂一只纸叠小舟，何必都要它们深刻、浓醇？动辄以"微言必载大意"吓退原是心态松弛自如的创造者，弄得只有"高标杆"而作品寥寥，似是我们的文化积弊之一，所以我有此一番随想。

我写散文、随笔，时淡时浓，时庄时谐，时奇时平，时悲时喜，总之没有定规，全出自个人当时的心灵状态，正是：浓淡总随心意抹，不代他人着粉墨。

附录一 刘心武文学活动大事记

1942 年

6 月 4 日生于四川省成都市育婴堂街。

后在重庆度过童年。

父母兄姊均热爱文学艺术，深受家庭熏陶。

1950 年

随父母迁居北京，从此定居北京。

在隆福寺小学上小学，在北京 21 中上初中。

1958 年

在北京 65 中上高中。

给若干报刊投稿，屡被退稿。

8 月，在《读书》杂志发表《谈〈第四十一〉》一文，是投稿第一次成功。

1959 年

在《北京晚报》"五色土"副刊陆续发表一些儿童诗、小小说。

为中央人民广播电台少儿部《小喇叭》（对学龄前儿童广播）编写若干节目；其中快板剧《咕咚》经编辑加工、录制后大受欢迎；"文革"中录音带被销毁；1991 年重新录制播出。

1961 年

毕业于北京师范专科学校，分配到北京 13 中任教。

至"文革"前,在《北京晚报》《中国青年报》《人民日报》《光明日报》《大公报》《北京日报》《体育报》《儿童时代》《大众电影》等报刊上发表了约 70 篇小小说、散文、杂文、评论等文章。

1966—1976 年

"文革"中,因 1964 年曾发表过一篇关于京剧的文章,以"反江青"罪名被冲击。

1974 年后再试写作,曾写一关于"教育革命"的长篇小说,由出版社联系获准脱产修改,但终未达到当时出版要求。

1976 年

写出一个大院里孩子们同坏蛋斗争的中篇小说《睁大你的眼睛》并得以出版(北京人民出版社)。

又按照当时政治要求写出一些短篇小说、散文,有的到次年才收入多人合集中出版。

调到北京人民出版社(后恢复"文革"前社名:北京出版社)文艺编辑室当编辑。

1977 年

11 月,在《人民文学》杂志发表短篇小说《班主任》,产生重大影响——被认为是"伤痕文学"的开山作,也是"新时期文学"的发端;从此成名。

从《班主任》后,写作冲破懵懂,沿着认定的方向跋涉,穿越风云,锲而不舍。

1978 年

参加《十月》杂志(开始以丛书名义出版)创刊工作,在创刊号上发表短篇小说《爱情的位置》,经转载和广播,影响巨大。

在《中国青年》杂志上发表短篇小说《醒来吧,弟弟》,反应亦极强烈。

《班主任》《爱情的位置》《醒来吧,弟弟》均被改编为广播剧,由中央人民广播电台多次广播,《醒来吧,弟弟》被搬上话剧舞台;此年发表的短篇小说《穿米黄色大衣的青年》亦由电台播出。

1979 年

在首届全国优秀短篇小说评奖中《班主任》获第一名。颁奖会上，从茅盾先生手中接过奖状。

参加中国作家协会第三次全国代表大会，被选为中国作家协会理事。

成为中华全国青年联合会常务委员，至 1993 年卸任。

9 月，参加中国作家代表团访问罗马尼亚，此系"文革"后第一个作家出访团。

在《人民文学》杂志发表短篇小说《我爱每一片绿叶》，写作技巧有长足进步。

1980 年

调至北京市文联当专业作家。

《我爱每一片绿叶》获 1979 年全国优秀短篇小说奖。

《看不见的朋友》获 1954—1979 年第二届全国少年儿童文学创作奖。

在《十月》杂志发表中篇小说《如意》，其弘扬人道主义的追求引起争议。

出版《刘心武短篇小说选》(北京出版社)。

1981 年

在《十月》杂志发表中篇小说《立体交叉桥》，引出更大争议，一些评论家认为"调子低沉"是步入了写作上的歧途，另有评论家则认为此作标志着刘心武的小说创作在反映现实、探索人性及艺术工力上均达到了新的水平。

5 月，应日本文艺春秋社邀请访问日本。

1982 年

应导演黄健中之请，改编《如意》；北京电影制片厂拍成彩色艺术片《如意》。

1983 年

11 月，参加中国电影代表团赴法国，在南特"三大洲电影节"上，《如意》在开幕式上放映，获好评；后陆续在法国、西德电视台播出。

1984 年

冬，应邀访问西德，参加"中德大学生会见活动"，并在波恩大学、波鸿大学与威尔兹堡大学介绍中国当代文学。

年底，参加中国作家协会第四次全国代表大会，再次当选为理事。

在《当代》文学双月刊第5、6期连载长篇小说《钟鼓楼》。

1985 年

出版长篇小说《钟鼓楼》（人民文学出版社），并获第二届茅盾文学奖。

因《钟鼓楼》获北京市政府嘉奖。

7月，在《人民文学》杂志发表纪实小说《5·19长镜头》，反响强烈。

11月，又在《人民文学》杂志发表纪实小说《公共汽车咏叹调》，引起轰动。

1986 年

年初，应当代文艺出版社邀请访问香港。

6月，调中国作家协会人民文学杂志社，任常务副主编。

在《收获》杂志设《私人照相簿》专栏，进行图文交融的文本尝试。

散文集《垂柳集》出版，冰心为之作序。

1987 年

1月，被任命为《人民文学》杂志主编。

2月，《人民文学》杂志1、2期合刊发表马建写的小说《亮出你的舌苔或空空荡荡》违反民族政策，承担责任，停职检查。

9月，复职。

冬，应邀赴美国访问。参观美洲华侨日报；在哥伦比亚大学、三一学院、哈佛大学、麻省理工学院、康奈尔大学、芝加哥大学、旧金山大学、斯坦福大学、伯克利加州大学、洛杉矶加州大学、圣迭戈加州大学等处演讲，介绍中国当代文学，并参观耶鲁大学；参加爱荷华大学"作家写作中心"的纪念活动；游览华盛顿等地。

1988 年

3月，应香港《大公报》邀请，赴香港参加五十周年报庆活动；在《大公报》安排的大型报告会上作关于改革开放与文学创作的报告。

5月，应法国文化部邀请，参加中国作家代表团访问法国，除在巴黎活动外，还访问了西部港口城市圣·拉扎尔。

《私人照相簿》在香港出版（南粤出版社）。

《我可不怕十三岁》获 1980—1985 年全国优秀儿童文学奖。

以上数年中，若干小说、散文还分别获得过《当代》《十月》《小说月报》《小说选刊》《中篇小说选刊》《儿童文学》《北方文学》等杂志，《人民日报》《文汇报》等报纸副刊的奖；拍成电视剧播出的有《没工夫叹息》《熄灭》（电视剧名《火苗》）《今夏流行明黄色》《到远处去发信》《非重点》《公共汽车咏叹调》和八集连续剧《钟鼓楼》；若干作品被英国、美国、西德、苏联、日本、瑞士、瑞典、法国、意大利等国翻译为英、德、俄、日、法、意、瑞典等文字出版；自 1987 年起被世界上有威望的英国欧罗巴出版社《世界名人录》收入词条。

1989 年

春，应香港中文大学翻译中心邀请，与妻子吕晓歌赴香港访问。

1990 年

3月，以任届期满，免去《人民文学》杂志主编职务。

香港中文大学翻译中心编译的英文小说集《黑墙与其他故事》出版。

秋，以"鱼山"笔名在《钟山》杂志发表中篇小说《曹叔》。

1991 年

出版小说集《一窗灯火》。

除小说外，开始发表大量散文、随笔。

1992 年

长篇小说《风过耳》在内地（中国青年出版社）、香港（勤＋缘出版社）分别出版，反响颇为强烈。

长篇小说《四牌楼》完稿，交上海文艺出版社出版。

《献给命运的紫罗兰——刘心武谈生存智慧》由上海人民出版社出版，受到读者欢迎。

在《收获》杂志发表中篇小说《小墩子》，后由中国电视剧制作中心改编拍摄为电视连续剧。

至该年，在海内外出版的个人专著按不同版本计已达 43 种。

在《红楼梦学刊》1992 年第二辑上发表论文《秦可卿出身未必寒微》，在"红学"界和读者中均引起注意；另有若干《红楼梦》人物论和《红楼边角》专栏文章发表。

冬，应瑞典学院邀请（斯堪的纳维亚航空公司赞助）赴北欧访问；在挪威奥斯陆大学、瑞典斯德哥尔摩大学和隆德大学、丹麦哥本哈根大学和奥胡斯大学的东亚系汉学专业以《九十年代初的中国小说》为题作学术报告；12 月 7 日，参加诺贝尔文学奖有关活动，听 1992 年得主德里克·沃尔科特发表受奖演说。

1993 年

华艺出版社出版《刘心武文集》（1—8 卷）。

出版长篇小说《四牌楼》。

1994 年

1 月，应台湾《中国时报》邀请赴台参加"两岸三地文学研讨会"。

《四牌楼》获上海优秀长篇小说大奖，到沪领奖。

1995 年

出版随笔集《人生非梦总难醒》（上海人民出版社）。

出版小说集《仙人承露盘》（华艺出版社）。

1996 年

出版长篇小说《栖凤楼》（人民文学出版社）。至此，由《钟鼓楼》《四牌楼》《栖凤楼》构成的"三楼"长篇小说系列竣工。

应《南洋商报》邀请赴马来西亚访问并顺访新加坡。

1997 年

应日本文化交流基金会邀请，与妻子吕晓歌访问日本。其长篇小说《钟鼓楼》、儿童文学作品《我是你的朋友》、短篇小说《王府井万花筒》等此前已相继译为日文在日本出版。

1998 年

建筑评论集《我眼中的建筑与环境》由中国建筑工业出版社出版，在建筑界产生影响。

应美国科罗拉多大学邀请，赴美参加金庸作品国际研讨会，在会上提交关于《鹿鼎记》的论文《失父：一种生存困境》。

1999 年

出版纪实性长篇小说《树与林同在》（山东画报出版社）。

出版《红楼三钗之谜》（华艺出版社）。

赴新加坡出席国际环境文学研讨会。

2000 年

应邀访问法国，并应英中协会和伦敦大学邀请，从巴黎赴伦敦讲《红楼梦》。

至此年底在海内外出版的个人专著（不含文集）按不同版本计达 101 种。

2001 年

出版包含建筑评论的随笔集《在忧郁中升华》（文汇出版社）。

在北京电视台录制播出《刘心武谈建筑》系列节目。

2002 年

出版小说集《京漂女》（中国文联出版社），自绘插图。

应澳大利亚雪梨华文写作协会邀请赴澳大利亚访问。

2003 年

以马来西亚《星洲日报》世界华人文学"花踪奖"评委身份赴吉隆坡参加相关活动。

台湾联经出版社出版小说集《人面鱼》。此前台湾已出版过刘心武多种作品，如皇冠出版社出版了《钟鼓楼》，幼狮文化事业公司出版了《四牌楼》《为他人默默许愿》（散文集）。

2004 年

赴法参加巴黎书展活动。书展上展出了译为法文的著作有小说《树与林同在》《护城河边的灰姑娘》《尘与汗》《人面鱼》《如意》与歌剧剧本《老舍之死》。

建筑评论集《材质之美》由中国建材工业出版社出版。

小说集《站冰》出版（人民文学出版社），自绘封面插图。

2005 年

出版集历年研红成果的《红楼望月》（书海出版社）。

应 CCTV-10（中央电视台科学教育频道）《百家讲坛》邀请，录制播出《刘心武揭秘〈红楼梦〉》系列节目 23 集，反响强烈，引出争议。

《刘心武揭秘〈红楼梦〉》第一、二部相继出版（东方出版社），畅销。

2006 年

应美国华美协会邀请，赴纽约在哥伦比亚大学讲《红楼梦》。

应邀参加香港书展。

出版《刘心武揭秘古本〈红楼梦〉》（人民出版社）。

2007 年

继续应邀到 CCTV-10《百家讲坛》录制节目，并出版《刘心武揭秘〈红楼梦〉》第三部、第四部（东方出版社）。

访问俄罗斯。

2008 年

出版随笔集《健康携梦人》（中国海关出版社）。

自 1986 年出版《垂柳集》，至此所出版的散文随笔集已逾 30 种。

2009 年

在《上海文学》杂志开《十二幅画》专栏，每期发表一篇写人物命运的大散文，并配发自己的画作。

4 月，妻子吕晓歌病逝，著长文《那边多美呀！》悼念。

2010 年

再应 CCTV-10《百家讲坛》邀请，录制播出《〈红楼梦〉的真故事》系列节目。至此在《百家讲坛》录制播出关于《红楼梦》的个人系列讲座累计达 61 集。

出版《〈红楼梦〉的真故事》（凤凰联动·江苏人民出版社），在争议声中畅销。

4 月，应台湾新地文学社邀请赴台参加"21 世纪世界华文文学高峰会议"。

出版《命中相遇——刘心武话里有画》（上海文艺出版社）。

加快《刘心武续〈红楼梦〉》的写作，次年完成推出。

至本年底，在海内外出版的个人专著，文集不算在内，重印亦不算，按不同版本计达 182 种（按不同书名计则为 141 种）。

年底，筹备编辑《刘心武文存》。

刘心武著作书目

　　只包括在中国大陆、台湾、香港和海外出版的书（同一著作每种版本单列）；不包括散发于报刊尚未出书的篇目，亦不包括多人合集中的篇目。第一个数字表示不同版本的排序；[ ]中的数字表示剔除同一书名的版本后的排序；注意：文集8卷不参加排序。

1976 年

1.[1]《睁大你的眼睛》[儿童文学·中篇小说]

北京人民出版社 1976 年 1 月第一版

1978 年

2.[2]《母校留念》[儿童文学·小说集]

中国少年儿童出版社 1978 年 7 月第一版

1979 年

3.[3]《小猴吃瓜果》[低幼读物·画册]

少年儿童出版社 1979 年 4 月第一版

1980 年 6 月第二次印刷

4.[4]《班主任》[短篇小说集]

中国青年出版社 1979 年 6 月第一版

1980 年

5.[5]《我是你的朋友》[儿童文学·中篇小说]

北京出版社 1980 年 7 月第一版

6.[6]《绿叶与黄金》[中短篇小说集]

广东人民出版社 1980 年 8 月第一版

7.[7]《刘心武短篇小说集》

北京出版社 1980 年 9 月第一版

1981 年

8.《这里有黄金》[中短篇小说集]

广东人民出版社 1981 年 4 月第二次印刷

有平装、软精装两种

9.[8]《大眼猫》[中短篇小说集]

浙江人民出版社 1981 年 8 月第一版

1982 年

10.[9]《如意》[中篇小说集]

北京出版社 1982 年 5 月第一版

1983 年

11.[10]《中国现代作家选（Ⅲ）刘心武〈我爱每一片绿叶〉〈深谷小溪默默流〉》

[日本] 东方书店 1983 年第一版

12.[11]《同文学青年对话》

文化艺术出版社 1983 年 10 月第一版

1984 年

13.[12]《到远处去发信》[中短篇小说集]

四川人民出版社 1984 年 4 月第一版

有平装、软精装两种

14.[13]《如意》[电影文学剧本]（与戴宗安联合署名 ）

中国电影出版社 1984 年 6 月第一版

1985 年

15.[14]《嘉陵江流进血管》[中篇小说集]

陕西人民出版社 1985 年 2 月第一版

16.[15]《日程紧迫》[中短篇小说集]

群众出版社 1985 年 5 月第一版

17.[16]《我可不怕十三岁》[儿童文学集]

新世纪出版社 1985 年 8 月第一版

18.[17]《钟鼓楼》[长篇小说]

人民文学出版社 1985 年 11 月第一版

有平装、软精装两种

1986 年 5 月第二次印刷

1986 年

19.[18]《公共汽车咏叹调》[纪实小说]

湖南文艺出版社 1986 年 1 月第一版

20.[19]《都会咏叹调》[小说集]

作家出版社 1986 年 3 月第一版

21.[20]《垂柳集》[散文集]

陕西人民出版社 1986 年 4 月第一版

22.[21]《立体交叉桥》[中短篇小说集]

人民文学出版社 1986 年 6 月第一版

有平装、软精装两种

23.[22]《巴黎郁金香》[访法散文集]

群众出版社 1986 年 11 月第一版

24.[23]《木变石戒指》[中短篇小说集]

> 青海人民出版社 1986 年 12 月第一版

1987 年

25. Little Monkey Triesto Eat Fruit [科学童话·英文]

> 海豚出版社 1987 年第一版

> 有平装、精装两种

26.[24]《斜坡文谈》[文学理论]

> 上海文艺出版社 1987 年 4 月第一版

27.[25]《王府井万花筒》[中篇小说集]

> 湖南文艺出版社 1987 年 9 月第一版

> 有平装、精装两种

28.[26]《5·19 长镜头》[小说自选集]

> 四川文艺出版社 1987 年 11 月第一版

29.げくけきの友たちだ [《我是你的朋友》日译本]

> [日本] 福武书店 1987 年 12 月第一版

> 1989 年 3 月第二版

> 1991 年 2 月第三版

1988 年

30.[27]《她有一头披肩发》[中短篇小说集]

> 台湾林白出版社 1988 年 4 月第一版

31.《钟鼓楼》[长篇小说]

> 香港天地图书有限公司 1988 年第一版

> 1993 年第二版

32.[28]《私人照相簿》[纪实文学]

> 香港南粤出版社 1988 年 11 月第一版

33.[29]《刘心武代表作》

黄河文艺出版社 1988 年 12 月第一版

1989 年

34.《小猴吃瓜果》[科学童话]

开明出版社、海豚出版社 1989 年 3 月第一版

35.《钟鼓楼》[长篇小说]

台湾皇冠出版社 1989 年 4 月第一版

36.[30]《一片绿叶对你说》[文艺随笔集]

河北教育出版社 1989 年 12 月第一版

1990 年

37.[31]BLACK WALLS AND OTHER STORIES[小说集·英译本]

香港中文大学翻译中心出版社 1990 年第一版

38.[32]《王府井万花镜》[小说集·日译本]

[日本]德间书店 1990 年 9 月第一版

1991 年

39.《母校留念》[小说]

[日本]骏河台出版社 1991 年 4 月第一版

40.[33]《一窗灯火》[中短篇小说集]

华艺出版社 1991 年 10 月第一版
1993 年第二次印刷

1992 年

41.[34]《列奥纳多·达·芬奇》[传记]

江苏教育出版社 1992 年 5 月第一版

42.[35]《有家可归》[散文随笔集]

广东旅游出版社 1992 年 5 月第一版

43.[36]《风过耳》[长篇小说]

中国青年出版社 1992 年 6 月第一版

1992 年 12 月第二次印刷

1993 年 3 月第三次印刷

1995 年 8 月第五次印刷

1996 年 3 月第六次印刷

44.《风过耳》[长篇小说]

香港勤 + 缘出版社 1992 年 6 月第一版

45.[37]《献给命运的紫罗兰——刘心武谈生存智慧》

上海人民出版社 1992 年 6 月第一版

1992 年 11 月第二次印刷

1995 年第三次印刷

1996 年 12 月第五次印刷

46.《刘心武代表作》

河南人民出版社 1992 年 6 月第二次印刷·精装本

47.[38]《蓝夜叉》[中篇小说集]

香港勤 + 缘出版社 1992 年 9 月第一版

1993 年

48.《北京下町物语》[长篇小说·《钟鼓楼》日译本]

[日本] 东京恒文社 1993 年 2 月第一版

1994 年第二版

49.[39]《为你自己高兴》[随笔集]

内蒙古人民出版社 1993 年 3 月第一版

50.[40]《杀星》[小说集]

香港勤 + 缘出版社 1993 年 6 月第一版

51.《我是你的朋友》[儿童文学·中篇小说·增订本]

希望出版社 1993 年 6 月第一版

52.[41]《四牌楼》[长篇小说]

上海文艺出版社 1993 年 6 月第一版

1994 年 4 月第二次印刷

1996 年 11 月第三次印刷

53.[42]《我是怎样的一个瓶子》[随笔集]

成都出版社 1993 年 9 月第一版

54.[43]《沉默交流》[随笔集]

中国华侨出版社 1993 年 11 月第一版

55.[44]《富心有术》[随笔集]

群众出版社 1993 年 12 月第一版

1995 年第二次印刷

56.[45]《中国当代名人随笔·刘心武卷》

陕西人民出版社 1993 年 12 月第一版

☆《刘心武文集》[1—8 卷]

华艺出版社 1993 年 12 月第一版

☆《刘心武文集·〈钟鼓楼〉〈风过耳〉》(简装本)

☆《刘心武文集·〈四牌楼〉〈无尽的长廊〉》(简装本)

华艺出版社 1997 年 5 月第一版

1994 年

57.[46]《仰望苍天》[随笔集]

知识出版社 1994 年 1 月第一版

1995 年第二次印刷

东方出版中心 1996 年 7 月第三次印刷

58.[47]《男扮女妆与女扮男妆》[随笔集]

中原农民出版社 1994 年 2 月第一版

59.[48]《相对一笑》[小小说集]

中共中央党校出版社 1994 年 2 月第一版

60.[49]《秦可卿之死》[专著]

华艺出版社 1994 年 5 月第一版

61.《四牌楼》[长篇小说]

台湾幼狮文化事业公司 1994 年 8 月第一版

62.[50]《为他人默默许愿》[散文集]

台湾幼狮文化事业公司 1994 年 10 月第一版

63.[51]《中国小说名家新作丛书·刘心武卷》

海峡文艺出版社 1994 年 11 月第一版

64.[52]《红楼梦（缩写本）》

接力出版社 1994 年 12 月第一版

1995 年第二次印刷

1997 年 9 月第三次印刷

1995 年

65.[53]《人生非梦总难醒》[名人日记·随笔集]

上海人民出版社 1995 年 1 月第一版

1995 年 3 月第二次印刷

66.[54]《仙人承露盘》[中短篇小说集]

华艺出版社 1995 年 3 月第一版

67.[55]《女性与城市》[杂文集]

中国城市出版社 1995 年 6 月第一版

68.《我是你的朋友》[增订版·"小学生成才书架" 系列之一]

希望出版社 1995 年 10 月第一版

69.《在胡同里转悠》[随笔集]

陕西人民出版社 1995 年 11 月第二次印刷

70.[56]《刘心武海外游记》

华文出版社 1995 年 12 月第一版

1996 年

71.[57]《刘心武小说精选》

太白文艺出版社 1996 年 2 月第一版

72.[58]《开发心大陆》[随笔集]

吉林人民出版社 1996 年 3 月第一版

1997 年 3 月第二次印刷

73.[59]《你哼的什么歌》[散文集]

湖南文艺出版社 1996 年 6 月第一版

74.[60]《刘心武张颐武对话录——"后世纪"的文化了望》

漓江出版社 1996 年 7 月第一版

75.[61]《边缘有光》[随笔集]

汉语大辞典出版社 1996 年 8 月第一版

76.[62]《刘心武怪诞小说自选集》

漓江出版社 1996 年 8 月第一版

有平装、精装两种

77.[63]《我是刘心武》

团结出版社 1996 年 9 月第一版

78.[64]《刘心武》[中国当代作家选集丛书]

人民文学出版社 1996 年 10 月第一版

79.[65]《刘心武杂文自选集》

百花文艺出版社 1996 年 11 月第一版

80.《秦可卿之死》[修订本]

华艺出版社 1996 年 11 月第二版

81.[66]《栖凤楼》[长篇小说]

人民文学出版社 1996 年 12 月第一版

1998 年 3 月第二次印刷

1997 年

82.[67]《封神演义（缩写本）》

接力出版社 1997 年 1 月第一版

1997 年 9 月第二次印刷

83.[68]《胡同串子》[中短篇小说集]

北京燕山出版社 1997 年 8 月第一版

84.《私人照相簿》

上海远东出版社 1997 年 9 月第一版

1998 年 2 月第二次印刷

2000 年换封面版权页称 2000 年 6 月第二次印刷

85.[69]《中国儿童文学名家作品精选丛书·刘心武作品精选》

河北少年儿童出版社 1997 年 8 月第一版

86.[70]《把嘴张圆》[随笔集]

上海远东出版社 1997 年 12 月第一版

1998 年

87.[71]《我眼中的建筑与环境》[建筑评论随笔集]

中国建筑工业出版 1998 年 5 月第一版

1999 年 5 月第二次印刷

2000 年 6 月第三次印刷

2001 年 6 月第四次印刷

88.《钟鼓楼》[茅盾文学奖获奖书系]

人民文学出版社 1998 年 3 月第一次印刷

1998 年 7 月第二次印刷

1998 年 8 月第三次印刷

1999 年 3 月第四次印刷

2000 年 1 月第五次印刷

2001 年 1 月第六次印刷

2001 年 8 月第七次印刷

2002 年 8 月第八次印刷

2003 年 1 月第九次印刷

1999 年

89.[72]《树与林同在》[非虚构长篇小说]

山东画报出版社 1999 年 3 月第一版

2006 年 7 月第二次印刷

90.[73]《八十六颗星星》(*The Eighty-Six Stars*) [儿童文学小说·汉英对照]

希望出版社 1999 年 6 月第一版

91.[74]《红楼三钗之谜》[刘心武红学探佚精品]

华艺出版社 1999 年 9 月第一版

92.[75]《蓝玫瑰》[中短篇小说集]

中国华侨出版社 1999 年 10 月第一版

93.[76]《过隧道的心情》[随笔集]

华东师范大学出版社 1999 年 12 月第一版

2000 年

94.[77]《一切都还来得及》[随笔集]

中国青年出版社 2000 年 1 月第一版

95.[78]《善的教育》[儿童文学]

辽宁少年儿童出版社 2000 年 2 月第一版

96.[79] Le Talisman (version bilingue)[《如意》中、法文对照版]

Librarie You Feng 2000 年 4 月第一版

97.[80]《作家刘心武〈班主任〉手迹》

线装书局 2000 年 5 月第一版

98.[81]《楼前白玉兰》[小小说集]

中国广播电视出版社 2000 年 7 月第一版

99.[82]《刘心武侃北京》

上海文艺出版社 2000 年 10 月第一版

100.[83]《我爱吃苦瓜》[茅盾文学奖获奖作家散文精品]

广州出版社 2000 年 10 月第一版

2002 年 10 月第二次印刷

101.[84]《了解高行健》

香港开益出版社 2000 年 12 月第一版

2001 年

102.[85]《亲近苍莽》

中国旅游出版社 2001 年 1 月第一版

103.[86]《在忧郁中升华》

文汇出版社 2001 年 2 月第一版

《刘心武谈建筑——在忧郁中升华》2007 年 8 月第二次印刷

104.[87]《人在风中》

作家出版社 2001 年 8 月第一版

105.《风过耳》

时代文艺出版社 2001 年 10 月第一版

有平装、精装两种

2002 年

106.[88]《京漂女》（自绘插图 ）

中国文联出版社 2002 年 1 月第一版

107.[89]《深夜月当花》

中国工人出版社 2002 年 1 月第一版

108.[90]《春梦随云散》

人民文学出版社 2002 年 4 月第一版

109.[91]《藤萝花饼》

台湾二鱼文化事业有限公司 2002 年 4 月第一版

110.[92]《刘心武自述》

大象出版社 2002 年 10 月第一版

2003 年

111.[93] L'arbre et la forêt [《树与林同在》法译本]

Bleu de Chine 2003 年 1 月第一版

112.[94]《人面鱼》

台湾联经出版事业股份有限公司 2003 年 2 月初版

113.[94] La Cendrillon Du Canal [《护城河边的灰姑娘》法译本]

Bleu de Chine 2003 年 4 月第一版

114.[95]《画梁春尽落香尘》["红学" 专著]

中国广播电视出版社 2003 年 6 月第一版

2003 年 9 月第二次印刷

2004 年 1 月第三次印刷

2005 年 6 月第四次印刷

115.[96]《眼角眉梢》

新华出版社 2003 年 8 月第一版

116.[97]《钟鼓楼》[初中生语文新课标必读]

人民日报出版社 2003 年 9 月第一版

117.[98]《天梯之声》

中国青年出版社 2003 年 10 月第一版

2004 年

118.[99] Poussiêre et sueur [《尘与汗》法译本]

Bleu de Chine 2004 年 1 月第一版

119.[100] La mort de Lao SHe [《老舍之死》歌剧剧本法译本]

Bleu de Chine 2004 年 3 月第一版

120.[101] Poisson à face humaine [《人面鱼》法译本]

Bleu de Chine 2004 年 3 月第一版

121.《如意》[电影伴读中国文学文库·附电影光盘]

中国青年出版社 2004 年 1 月第一版

122.[102]《泼妇鸡丁》

台湾二鱼文化事业有限公司 2004 年 4 月第一版

123.[103]《在柳树臂弯里——刘心武随笔》

光明日报出版社 2004 年 5 月第一版

124.[104]《材质之美——刘心武城市文化酷评》

中国建材工业出版社 2004 年 5 月第一版

125.[105]《站冰——刘心武小说新作集》(自绘插图)

人民文学出版社 2004 年 6 月第一版

126.《四牌楼》

上海文艺出版社 2004 年 8 月第二版

127.[106]《大家文丛：刘心武》

古吴轩出版社 2004 年 8 月第一版

2005 年

128.《钟鼓楼》(中国文库·文学类)

人民文学出版社 2005 年 1 月第一版第一次印刷 (平装)

2005 年 1 月第一版第一次印刷 (精装)

129.《钟鼓楼》(茅盾文学奖获奖作品全集之一)

人民文学出版社 1985 年 11 月第一版、2005 年 1 月第一次印刷

2005 年 5 月第二次印刷

2005 年 7 月第三次印刷

2006 年 3 月第四次印刷

2008 年 4 月第七次印刷

2009 年 8 月第八次印刷

2010 年 1 月第九次印刷

2011 年 7 月第 15 次印刷

2011 年 9 月第 16 次印刷

2011 年 11 月第 17 次印刷

130.[107]《心灵体操》

时代文艺出版社 2005 年 1 月第一版

131.[108]《刘心武作文示范》

少年儿童出版社 2005 年 1 月第一版

132.[109] La Démone bleue (《蓝夜叉》法译本)

Bleu de Chine 2005 年第一版

133.[110]《红楼望月》

书海出版社 2005 年 4 月第一版

2005 年 6 月第二次印刷

2005 年 7 月第三次印刷

2005 年 8 月第四次印刷

2005 年 9 月第五次印刷

2005 年 9 月第六次印刷

134.[111]《刘心武揭秘〈红楼梦〉》

东方出版社 2005 年 8 月第一版

至 2005 年 19 月共十三次印刷

2005 年 11 月第二版

至 2005 年 12 月已第十八次印刷

至 2007 年 7 月已第二十八次印刷

2007 年 12 月第三十次印刷

2008 年 4 月第三十二次印刷

135.《红楼解梦——画梁春尽落香尘》

中国广播电视出版社 2005 年 9 月第二版第五次印刷

136.《楼前白玉兰——刘心武最新小小说集》

中国广播电视出版社 2005 年 9 月第二版第二次印刷

137.[112]《刘心武揭秘〈红楼梦〉》[第二部]

东方出版社 2005 年 12 月第一版

至 2007 年 7 月已第十五次印刷

2007 年 12 月第十七次印刷

2008 年 4 月第十九次印刷

138.[113]《刘心武解读人世情》

时代文艺出版社 2005 年 12 月第一版

139.[114]《刘心武感悟平常心》

时代文艺出版社 2005 年 12 月第一版

2006 年

140.[115]《刘心武自选集》

云南人民出版社 2006 年 1 月第一版

141.[116]《刘心武点评〈红楼梦〉》

团结出版社 2006 年 1 月第一版

142,《刘心武精品集·第一卷·钟鼓楼》

东方出版社 2006 年 1 月第一版

143.《刘心武精品集·第二卷·四牌楼》

东方出版社 2006 年 1 月第一版

144.《刘心武精品集·第三卷·栖凤楼》

东方出版社 2006 年 1 月第一版

145.《刘心武精品集·第四卷·献给命运的紫罗兰》

东方出版社 2006 年 1 月第一版

146.[117]《戴敦邦绘刘心武评〈金瓶梅〉人物谱》

作家出版社 2006 年 4 月第一版

147.[118]《红楼拾珠》

云南人民出版社 2006 年 5 月第一版

148.[119]《藤萝花饼》

云南人民出版社 2006 年 5 月第一版

149.《刘心武揭秘〈红楼梦〉》[第一部]

台湾好读出版有限公司 2006 年 6 月初版

150.《刘心武揭秘〈红楼梦〉》[第二部]

台湾好读出版有限公司 2006 年 6 月初版

151.《我是刘心武》

天津人民出版社 2006 年 8 月第一版

152.[120]《刘心武揭秘古本〈红楼梦〉》

人民出版社 2006 年 12 月第一版

同月第二次印刷

2007 年

153.[121]《四棵树》

二十一世纪出版社 2007 年第一版

154.[122]《用心去游》

上海三联书店 2006 年 12 月第一版

2007 年 1 月第一次印刷

155.[123] Dés de poulet façon mégère [《泼妇鸡丁》法译本]

Bleu de Chine 2007 年 4 月第一版

156.《一切都还来得及》

中国青年出版社 2005 年 5 月第一版

157.[124]《刘心武揭秘〈红楼梦〉》[第三部·黛玉之谜及古本之秘]

东方出版社 2007 年 7 月第一版

至 2007 年 8 月已第四次印刷

2007 年 12 月第六次印刷

2008 年 3 月第七次印刷

158.[125]《刘心武说世道人心》

中国青年出版社 2007 年 7 月第一版

159.[126]《刘心武说寻美感悟》

中国青年出版社 2007 年 7 月第一版

160.[127]《刘心武说草根情怀》

中国青年出版社 2007 年 7 月第一版

161.[128]《长吻蜂》

上海人民出版社 2007 年 8 月第一版

162.《私人照相簿》

华龄出版社 2007 年 10 月第一版

163.《善的教育》

华龄出版社 2007 年 10 月第一版

164.[129]《刘心武揭秘〈红楼梦〉》[第四部·宝钗湘云之谜暨红楼心语]

东方出版社 2007 年 11 月第一版

2008 年 3 月第三次印刷

2008 年

165.[130]《健康携梦人》

中国海关出版社 2008 年 4 月第一版

166.[131]《刘心武小说》

吉林文史出版社 2008 年 5 月第一版

167.[132]《刘心武散文》

吉林文史出版社 2008 年 5 月第一版

2009 年

168.《钟鼓楼》（共和国作家文库）

作家出版社 2009 年 4 月第一版

169.《四牌楼》（共和国作家文库）

作家出版社 2009 年 4 月第一版

170.[133]《人在胡同第几槐》

中国文联出版社 2009 年 6 月第一版

171.《钟鼓楼》（新中国 60 年长篇小说典藏）

人民文学出版社 2009 年 7 月第一版

172.[134]《刘心武短篇小说》

现代教育出版社 2009 年 8 月第一版

173.[135]《刘心武中篇小说》

现代教育出版社 2009 年 8 月第一版

174.[136]《刘心武散文随笔》

现代教育出版社 2009 年 8 月第一版

175.《刘心武揭秘〈红楼梦〉》上卷（共和国作家文库）

作家出版社 2009 年 8 月第一版

176.《刘心武揭秘〈红楼梦〉》下卷（共和国作家文库）

作家出版社 2009 年 8 月第一版

2010 年

177.[137]《人情似纸》

江苏文艺出版社 2010 年 1 月第一版

178.[138]《红楼梦八十回后真故事》

江苏人民出版社 2010 年 3 月第一版

179.[139]《刘心武小说精选集》

[台湾] 新地文化艺术有限公司 2010 年 4 月第一版

180.《红楼望月》

江苏人民出版社 2010 年 6 月第一版

2010 年 9 月第二次印刷

181.[140]《命中相遇——刘心武话里有画》

上海文艺出版社 2010 年 7 月第一版

182.[141]《红楼眼神》

重庆出版社 2010 年 9 月第一版

2011 年

183.[142]《刘心武续红楼梦》

江苏人民出版社 2011 年 3 月第一版

江苏人民出版社 2011 年 4 月第 4 次印刷

184.[143]《红楼梦》（曹雪芹著刘心武续）

江苏人民出版社 2011 年 3 月第一版

185.《刘心武续红楼梦》[繁体字竖排本]

香港明报出版社有限公司 2011 年 3 月初版

186.《刘心武揭秘〈红楼梦〉》精华本（一）

江苏人民出版社 2011 年 4 月第一版

187.《刘心武揭秘〈红楼梦〉》精华本（二）

江苏人民出版社 2011 年 4 月第一版

188.《刘心武揭秘〈红楼梦〉》精华本（三）

江苏人民出版社 2011 年 4 月第一版

189.《刘心武揭秘〈红楼梦〉》精华本（四）

江苏人民出版社 2011 年 4 月第一版

190.《刘心武续红楼梦》[繁体字竖排本]

台湾城邦文化事业股份有限公司商周出版 2011 年 4 月第一版

191.《〈红楼梦〉的真故事》

台湾人类智库数位科技股份有限公司 2011 年 6 月第一版

192.[144]《听刘心武说房子的事儿》

中国商业出版社 2011 年 8 月第一版

193.[145]《刘心武心灵随感》

时代文艺出版社 2011 年 11 月第一版

2012 年

194.[146]《刘心武种四棵树》

漓江出版社 2012 年 1 月第一版

195.[147]《风雪夜归正逢时——我是刘心武》

漓江出版社 2012 年 1 月第一版

196.《献给命运的紫罗兰》

漓江出版社 2012 年 1 月第一版

197.[148]《人生有信》

江苏人民出版社 2012 年 3 月第一版

198.Poussiêre et sueur [《尘与汗》法译本 folio 袖珍版]

Gallimard 2012 年 8 月出版

199.La Cendrillon du canal [《护城河边的灰姑娘》法译本 folio 袖珍版]

Gallimard 2012 年 8 月出版